Les Amants

Collection Anatolia
dirigée par Samuel Brussell

LIAM O'FLAHERTY

Les Amants

TRADUIT DE L'ANGLAIS
PAR BÉATRICE VIERNE

ANATOLIA / LE ROCHER

Titre original :

The Pedlar's Revenge
Short Stories

L'éditeur remercie l'ILE (Fonds de traduction, Dublin, Irlande)
pour le soutien financier apporté à la traduction de ce livre

ISBN 2-268-03535-2

La vengeance du colporteur

Quand la police arriva sur les lieux de l'accident, le vieux Paddy Moynihan était mort. Il gisait à plat dos, tout au fond du ravin qui s'ouvrait en contrebas de la maison du forgeron. Sa tête reposait sur un gros pavé de granit lisse et arrondi, ses mains étaient croisées sur son énorme panse. Son vieux chapeau noir bosselé était maintenu en place par un morceau de ficelle qui lui passait sous le menton. Les hommes et les garçons du village formaient un cercle autour de lui, échangeant à mi-voix des commentaires sur la façon dont il était passé de vie à trépas. Directement au-dessus d'eux, les femmes et les jeunes filles se penchaient en rangs serrés par-dessus le muret qui bordait la cour de la forge. La bouche grande ouverte, le regard figé par l'horreur, toutes scrutaient les profondeurs ténébreuses du ravin, cherchant à discerner la forme indistincte du mort.

Le sergent Toomey examina brièvement la dépouille avant de se tourner vers Joe Finnerty, le receveur des contributions.

« Tommy Murtagh, commença-t-il, m'a dit que c'était toi...

— Ouais, dit Finnerty, c'est moi qui ai envoyé Tommy te chercher. Je lui ai dit de ramener aussi un prêtre, mais j'en ai pas vu l'ombre d'un.

— Le curé et le vicaire sont tous les deux en visite chez des malades pour le moment, expliqua le sergent.

— De toute façon, reprit Finnerty, un prêtre aurait pas pu faire grand-chose pour lui. Le pauvre vieux bonhomme est resté inconscient depuis le moment où il est tombé jusqu'à sa mort.

— Tu l'as vu tomber? demanda le sergent.

— Ouais, répondit Finnerty. Je descendais la route quand je l'ai aperçu là-haut, perché sur le muret du forgeron. Il était dans tous ses états. Il arrêtait pas de brailler et d'agiter son bâton. "Le colporteur m'a empoisonné", qu'il hurlait. Et il l'a redit je sais pas combien de fois, sans discontinuer, d'une voix lancinante, comme un gosse qui pleurniche. Ensuite, il s'est mis debout et il a pris la direction de la route. Mais il avait même pas fait un demi pas qu'il a paru saisi d'une espèce de colique. Il a laissé tomber son bâton, il s'est empoigné le ventre à deux mains et il est parti à reculons en trébuchant, presque plié en deux, pour aller se rasseoir sur le muret. Et puis avant que j'aie le temps de dire ouf, il a basculé cul par-dessus tête dans le ravin et il a roulé jusqu'en bas en couinant comme un porc qu'on égorge. Sur mon âme! on a dû l'entendre à des miles à la ronde.

— Ça, pour sûr que c'était un cri épouvantable, renchérit Peter Lavin, le domestique du médecin. Moi, j'étais en train de tondre, en bas dans la prairie, quand je l'ai entendu. Aussitôt j'ai levé la tête et j'ai vu le vieux Paddy fendre les airs. Bon Dieu! il paraissait gros comme une maison. Il a fait deux fois la culbute avant de disparaître à ma vue en dévalant la pente. Mais je peux vous dire que j'ai entendu le bruit qu'il a fait quand il a touché le fond du trou, c'était comme un sac très lourd qu'on lâche à la mer depuis le pont d'un bateau. »

Il indiqua sur la droite une trace large et profonde dans le sol détrempé et déclara :

« C'est là qu'il a atterri, sergent. »

Le sergent s'approcha du creux pour l'examiner. Le fond du ravin était gorgé d'eau, car l'humidité ruisselait le long de ses parois escarpées et moussues. Trois petits garçons avaient enfoncé dans une crevasse une feuille d'oseille roulée sur elle-même et s'abreuvaient chacun à son tour au fin jet d'eau qui jaillissait du vert éclatant de cet entonnoir improvisé.

« Pourquoi qu'il croyait être empoisonné? demanda le sergent.

— J'en ai pas la moindre idée, répondit Finnerty. Ce qui est certain, en tout cas, c'est qu'il avait ingurgité quelque chose qui voulait pas passer. Juste avant de tomber, il se tordait de douleur, le pauvre malheureux. »

Le regard du sergent remonta le long de la paroi à pic jusqu'à une épaisse touffe de lierre qui poussait juste au-dessous de son sommet en surplomb. Dans leur nid, au milieu du lierre, une couvée de jeunes moineaux affamés piaulaient plaintivement.

« Et à l'en croire, dit le sergent en retournant auprès du cadavre, s'il avait mal quelque part, c'était la faute du colporteur.

— Ouais, c'est ça, convint Finnerty. Il disait comme ça que le colporteur l'avait empoisonné, il arrêtait pas de le répéter. Cela dit, moi, j'y ferais pas plus attention que ça, vu que le colporteur et lui, c'étaient deux ennemis jurés. Ils se sont accusés des dizaines de fois de tous les crimes possibles et imaginables.

— Écoutez, moi, je l'ai vu sortir de la maison du colporteur, y a quelques heures à peine, glissa Anthony Gill. On aurait pas dit un homme empoisonné à ce moment-là. Il avait un sourire jusqu'aux oreilles et il se parlait tout bas pendant qu'il avançait vers moi en traînant les pieds, comme il faisait toujours. Je lui ai demandé où il allait si vite et il m'a répondu de m'occuper de mes oignons. Je me suis retourné pour le suivre des yeux et je l'ai vu entrer dans le magasin à Pete Maloney.

— Moi, j'y étais quand il est entré, intervint Bartly Timoney. Il voulait des chandelles.

— Des chandelles? répéta le sergent.

— Il en a acheté quatre, déclara Timoney. Et quand il les a eues, il s'est pour ainsi dire précipité dehors, en marmonnant dans sa barbe et en riant aux anges. Crénom, comme Anthony là vient de te le dire, il avait l'air en pleine forme à ce moment-là.

— Des chandelles? répéta encore une fois le sergent. Pourquoi qu'il aurait été si pressé d'acheter des chandelles?

— Le pauvre bougre! dit Finnerty. Il était très vieux et il avait plus toute sa tête. Que Dieu ait pitié de lui, ça fait bien deux ans qu'il était devenu à moitié fou, depuis qu'il avait perdu sa femme. Ah! vaut mieux pour lui qu'il soit mort, pauvre vieux bonhomme, plutôt que de vivre comme il vivait, tout seul dans sa petite bicoque, sans personne pour lui faire à manger ni le tenir propre. »

Le sergent se tourna vers Peter Lavin et demanda :

« Le docteur est revenu de la ville ou pas encore?

— Il reviendra pas avant ce soir, répondit Lavin. Il attend de savoir comment s'est passée l'opération de la femme à Tom Kelly.

— Bon, ça va, les gars, lança le sergent. Autant

nous occuper de remonter ce pauvre vieux Moynihan.

— C'est plus vite dit que fait, déclara Anthony Gill.

— On l'a pesé y a quelques semaines sur la balance à Quinn, en mettant trois sacs de farine pour faire contrepoids, vu qu'y avait un pari en jeu. Charley Ridge, le gardien du phare, a gagé un billet d'une livre qu'il pesait plus lourd que trois sacs de farine et Tommy Perkins a tenu le pari en jurant ses grands dieux que Paddy ferait pas le poids. C'est le gardien du phare qu'a perdu, mais il s'en est fallu d'un cheveu. Jamais j'ai vu quelque chose d'aussi serré. À peine si y avait une ou deux onces de différence. Bon, eh ben trois sacs de farine, ça pèse trois cent trente-six livres. Alors comment qu'on va faire pour sortir un pareil poids mort d'un trou comme celui-ci ?

— Le plus simple, sergent, déclara Hynes, le garde champêtre, ce serait d'aller chercher une corde et de le hisser directement dans la cour de la forge. »

Tout le monde convint qu'il avait raison.

« J'ai plein de matériel de pêche à la maison, annonça Bartly Timoney. Je m'en vais aller chercher une corde bien solide. »

Il se mit à gravir la paroi du ravin.

« Rapporte donc aussi une ou deux élingues, lui cria le sergent. Ça permettra de le maintenir. »

Tous les jeunes gens suivirent Timoney, afin d'aider à tirer sur la corde.

« Peut-être qu'il existait des hommes plus lourds que le vieux Moynihan, dit Finnerty à ceux qui étaient restés au fond avec la dépouille, mais c'était quand même le gars le plus grand et le plus fort qu'on ait vu dans la région de mémoire d'homme. Il mesurait six pieds dix pouces sans ses chaussures et sa force avait pas de limites. Moi, je l'ai vu envoyer valdinguer un bœuf adulte les doigts dans le nez, pour ainsi dire, dans le champ derrière le pub à Tom Daly, à Gortmor. Et ensuite, comme il avait parié vingt-quatre pintes de bière brune qu'il y arriverait, il les a sifflées aussi vite que vous ou moi on en avalerait trois.

— Ça pour être fort, on peut dire qu'il était fort, renchérit Gill. On avait beau le charger comme un cheval, il partait d'un bon pas, droit comme un I, en fumant sa pipe.

— Et pourtant, reprit Lavin, il avait beau être si fort, il était doux comme un agneau. On dit qu'il a jamais donné un seul coup de sa vie.

— Il est venu plus d'une fois travailler sur mes terres, déclara Sam Clancy, et je reconnais volontiers qu'il valait facilement dix hommes. Il était capable de s'échiner du matin au soir sans ralentir un instant la cadence. Mais en revanche, pour arriver à le nourrir à sa faim, c'était la croix et la bannière. On pouvait lui donner une longe de porc ou même un mouton entier, y avait tout juste de quoi lui ouvrir l'appétit. Le pauvre bougre m'a confié que la fringale le faisait affreusement souffrir. Il avait jamais assez. Il a dû endurer un vrai supplice quand il est devenu trop vieux pour travailler et qu'il a été obligé de vivre uniquement de sa petite pension. »

Timoney reparut et lança deux élingues par-dessus le muret auprès duquel les femmes et les filles s'étaient massées. Puis il fit glisser jusqu'au fond du ravin l'extrémité d'une grosse corde. Le sergent Toomey attacha une des élingues autour du torse de Moynihan et l'autre à hauteur de ses genoux. Après quoi il passa dessous le bout de la corde et la noua solidement.

« Allez-y, tirez », dit-il à Timoney.

Lorsqu'ils virent le cadavre remonter lentement le long du versant abrupt, les deux moineaux adultes se mirent à voleter d'une paroi à l'autre, en poussant des cris aigus. Leurs petits, obéissant à ces mises en garde constamment répétées, gardèrent le silence jusqu'au moment où la main droite du vieux Moynihan, qui pendait mollement, effleura le lierre tout près d'eux. Alors, comme ce bruit léger ressemblait fort à celui que faisaient leurs parents en rentrant au nid chargés de nourriture, un concert de pépiements frénétiques s'éleva. Aussitôt, les deux adultes devinrent fous d'inquiétude. La mère lâcha le morceau de ver qu'elle tenait dans son bec. Puis le mâle et elle fondirent sur la tête de Moynihan, les plumes en bataille. Ils ne cessèrent de l'attaquer, bec et ongles, qu'une fois qu'il eut été hissé dans la cour de la forge par-dessus le muret.

Lorsque le cadavre fut allongé sur la carriole du forgeron, le sergent Toomey se tourna vers les femmes qui assistaient à la scène et lança :

« Vous feriez acte de charité en venant le préparer pour ses funérailles. Il a plus de famille pour le laver et le raser.

— Au nom de Dieu, répondirent-elles, nous ferons tout ce qui a besoin d'être fait. »

Et elles suivirent les hommes qui poussaient déjà le véhicule le long de la route, en direction de la chaumière du défunt.

« Dis voir, demanda le sergent à Finnerty, tandis qu'ils avançaient côte à côte, est-ce que je me trompe ou est-ce que le colporteur aurait pas traîné Moynihan en justice dans le temps, rapport à la destruction d'une cabane ?

— C'est ma foi vrai, répondit Finnerty, même que le juge Roche lui avait accordé des dommages et intérêts.

— Ça remonte à quand, cette affaire-là ? demanda le sergent.

— Ça doit faire plus de vingt ans, dit Finnerty.

— Longtemps avant que j'arrive par ici, alors, nota le

sergent. J'ai jamais entendu raconter les faits dans le détail.

— Bah, c'était qu'une vieille cabane branlante où le colporteur entreposait tous les articles qu'il récoltait en parcourant la contrée, déclara Finnerty : chiffons, vieilles ferrailles, meubles vermoulus et toutes sortes de curiosités rejetées sur les grèves après les naufrages. Un jour, Moynihan est arrivé et il a vu le baudet du colporteur attaché au crochet métallique fixé au chambranle de la porte. Dieu ait pitié des trépassés, mais faut dire qu'il adorait faire des farces idiotes, comme tous les colosses un peu simples d'esprit. Alors il a été chercher un navet, il l'a piqué au bout de son bâton, et puis il s'est penché par-dessus le mur de la cour de derrière du colporteur et il s'est mis à asticoter ce malheureux âne, histoire de le faire avancer de plus en plus loin à la suite du navet. Le baudet a tiré tant qu'il pouvait sur sa longe, jusqu'au moment où le chambranle s'est trouvé arraché du mur. Ensuite le mur s'est effondré et pour finir la cabane tout entière s'est abattue en tas. Le colporteur était absent à ce moment-là, si bien qu'en dehors de Moynihan lui-même personne a vu ce qui avait causé les dégâts. Le pauvre benêt aurait donc jamais eu le moindre ennui s'il avait su tenir sa langue. Seulement, au lieu de la boucler, il a rien eu de plus pressé que de courir au village raconter à tout le monde ce qui venait d'arriver. Et il a failli se faire péter un boyau tellement qu'il rigolait de sa propre histoire. Mais le résultat de sa confession, c'est que bien évidemment il a rien trouvé à dire pour sa défense quand l'affaire est passée devant le tribunal. »

La chaumière du défunt paraissait à l'abandon. Le jardin était envahi de mauvaises herbes, la toiture percée de plusieurs gros trous, la porte cassée, les fenêtres obturées par de la toile à sac. Quant à l'intérieur, il était dans un état répugnant de crasse et de désordre.

« Va falloir le laisser sur la carriole jusqu'à ce qu'y ait un endroit convenable où il pourra reposer comme un vrai chrétien », déclara le sergent Toomey après avoir inspecté les deux pièces.

Il confia au garde champêtre la surveillance du corps et partit en compagnie de Joe Finnerty vers la demeure du colporteur.

« J'ai pas trouvé les chandelles, annonça-t-il chemin faisant. Et j'ai pas non plus pu découvrir précisément ce qu'il avait mangé à son dernier repas. Sa petite marmite et sa poêle à frire étaient posées dans l'âtre, et il s'en était visiblement servi pour préparer son déjeuner. Il restait un petit bout d'épluchure de pomme de terre au fond de la marmite, mais la poêle avait été soigneusement raclée et reluisait comme un sou neuf. Dieu seul sait ce qu'il a pu faire cuire dedans.

— Pauvre vieux Paddy ! s'exclama Finnerty. Ça faisait longtemps qu'il était à moitié mort de faim. Il fouinait partout comme un chien et il récupérait des restes minables dans des endroits honteux. Et pourtant, tout le monde lui donnait de quoi satisfaire l'appétit d'une personne ordinaire, en plus de ce qu'il pouvait acheter avec l'argent de sa pension. »

La chaumière du colporteur n'était qu'à quelques mètres du taudis sordide de Moynihan, avec lequel son aspect coquet offrait un contraste frappant. Elle était vraiment ravissante, les fenêtres peintes en bleu sombre et les murs d'une blancheur immaculée, tandis que le beau soleil du mois de mai scintillait sur les ardoises du toit. Le jardin était amplement garni d'arbres fruitiers, de légumes et de fleurs, tous soignés d'une manière qui attestait l'inlassable diligence et le savoir-faire du propriétaire. On y voyait en outre trois ruches et les abeilles faisaient entendre un sympathique murmure en s'affairant parmi les fleurs. L'air était chargé d'un parfum délicieux qui, porté par la brise légère, émanait des différentes plantes et corolles.

En les voyant s'avancer vers sa porte le long d'un étroit sentier dallé qui passait au milieu du jardin, le colporteur salua les deux hommes.

« Bonjour, leur dit-il. Qu'est-ce qui se passe donc chez Paddy Moynihan ? J'ai entendu arriver une carriole et tout un tas de gens. »

Il était assis sur un tabouret à trois pieds, à droite de la porte ouverte. Ses mains tremblantes ne cessaient de monter et de descendre le long du bâton de prunellier qu'il tenait bien droit entre ses genoux. Ses jambes aussi étaient agitées de tremblements. Les talons ferrés de ses bottes battaient sans trêve une sorte de retraite minuscule et presque inaudible sur les larges dalles bien lisses au-dessous de son tabouret. C'était un homme de très petite taille, si courbé qu'il en était presque plié en deux. Tout comme sa maison et son jardin, ses bottines, son costume noir usé jusqu'à la corde, sa chemise blanche et son feutre noir étaient impeccables. D'ailleurs, il était d'une netteté absolue de la tête aux pieds, à l'exception de son petit visage ridé qui disparaissait en grande partie sous des poils gris hirsutes plus proches de la toison d'un animal que d'une authentique barbe d'homme.

« C'est le vieux Paddy Moynihan lui-même qu'on vient de ramener chez lui sur cette carriole », annonça gravement le sergent.

Le colporteur étouffa un petit rire sec assez semblable au bêlement d'une chèvre, un son plaintif et sans la moindre joie.

« Ho ! ho ! cette canaille sans vergogne a donc encore trop bu ? lança-t-il d'une voix aiguë et grêle. Y a pas deux mois, il a tellement picolé dans le pub à Richie

Tallon, avec deux tondeurs de moutons de Castlegorm, qu'il en a perdu l'usage de la parole. On a dû le ramener chez lui dans la voiture à âne de Phil Manion. Seulement il y tenait pas tout entier et il a fallu que deux gars suivent à pied, portant chacun une de ses jambes.

— Le vieux Paddy est mort », dit le sergent d'un ton sévère.

En apprenant la nouvelle, le colporteur s'immobilisa tout à fait pendant quelques secondes, levant vers le visage du policier deux yeux bleus pleins de sagacité sous leurs sourcils gris en bataille. Et puis ses talons recommencèrent à tambouriner imperceptiblement et ses doigts tremblotants à se mouvoir le long du bâton de prunellier, comme s'il s'agissait d'un pipeau dont ils tiraient une musique.

« Je prierai Dieu d'avoir pitié de son âme, dit-il froidement, mais je vais quand même pas prétendre que je suis désolé d'apprendre sa mort. Pourquoi que je dirais une chose pareille ? Pour vous parler franchement, la nouvelle que vous m'apportez me soulage d'un grand poids ? Comment qu'il est mort ? »

Une fois que le sergent lui eut raconté la fin du vieux Moynihan, il poussa un autre petit rire étranglé. À présent, on y décelait une note de gaieté.

« C'est sûrement son poids qui l'a tué, déclara-t-il, car, voyez-vous, John Delaney, un charpentier qui habitait Srulane il y a belle lurette, est tombé exactement au même endroit sans se faire aucun mal. Ça s'est passé par une nuit terrible, y a bien quarante ans de ça. Delaney rentrait chez lui tout seul, s'en revenant d'un enterrement à Tirnee, où qu'il avait été faire le cercueil. Selon sa bonne habitude, il était saoul comme une bourrique et il a pas fait entendre le moindre mot en tombant. Il a passé le restant de la nuit au fond du trou, et toute la journée du lendemain. À la tombée de la nuit, il a réussi à se hisser jusqu'en haut sans une égratignure. Le Delaney en question, c'était le roi des ivrognes. Je me rappelle qu'un jour il a chu dans le cercueil qu'il fabriquait pour une vieille femme à...

— Je dois t'avertir d'une chose : peu avant de mourir, Paddy Moynihan a émis contre toi certaines allégations, en présence de Joe Finnerty que voici, interrompit le sergent Toomey. À l'en croire, tu aurais...

— Ho! ho! peste soit de la canaille! interrompit le colporteur à son tour. Il a passé sa vie entière à porter des accusations contre moi. Et à me tourmenter en plus. Que Dieu me pardonne! Cet homme, je l'ai détesté depuis que je suis tout mioche.

— Tu l'as détesté pendant si longtemps? dit le sergent.

— On avait le même âge, déclara le colporteur. J'aurai soixante-dix-neuf ans le mois prochain. J'ai quelques semaines de plus que Paddy, pas davantage. On a commencé l'école exactement le même jour. Dès le premier instant où il a posé les yeux sur moi, il m'a pris en haine. Je suis né bossu, tout comme vous me voyez à présent. Et par-dessus le marché, j'étais délicat de santé et on pensait que je vivrais pas longtemps. À l'âge de sept ou huit ans, j'étais pas plus grand qu'un nain. Paddy Moynihan, en revanche, c'était déjà un sacré colosse. Il faisait deux fois la taille des autres garçons de son âge. Il m'a torturé de toutes les façons possibles. Son jeu favori, c'était de s'avancer en douce derrière moi et de me hurler dans l'oreille. Vous savez bien quelle voix il avait adulte, une vraie voix de stentor. Eh bien, elle était presque aussi puissante alors qu'il était encore qu'un galopin. Il poussait des cris caverneux, tonitruants, on aurait cru le rugissement d'un taureau furieux. Chaque fois qu'il me prenait ainsi par surprise et me braillait à l'oreille, je tombais par terre avec une attaque de nerfs.

— Vrai, c'était pas chic de jouer des tours pareils à un enfant délicat, reconnut le sergent d'un ton compatissant. Pas étonnant que t'en sois venu à le détester.

— Faut pas croire un mot de ce qu'il dit, déclara Finnerty au sergent. Jamais Paddy Moynihan a rien fait de pareil. »

Encore une fois, le colporteur s'immobilisa totalement pendant quelques secondes en contemplant les jambes de Finnerty. Puis il reprit sa danse et son regard revint se poser sur le visage du sergent.

« Il a fait bien pire, dit-il. Il obligeait les autres écoliers à se tenir en cercle autour de moi et à frapper mes pieds nus avec des petits cailloux. Et il riait aux éclats en les regardant faire. Si j'essayais de me frayer un chemin hors de leur cercle, ou si je m'asseyais par terre en cachant mes pieds sous moi, il me menaçait de tourments pires encore. "Tiens-toi là, qu'il disait, sinon je continuerai à te hurler aux oreilles jusqu'à ta mort." Inutile de dire que je préférais encore être battu que de subir l'autre torture. Ah, bon Dieu! ces cris dans mon oreille, c'était une souffrance épouvantable. J'en avais l'écume aux lèvres en m'écroulant par terre, à tel point qu'on a longtemps cru que j'étais épileptique.

— Espèce de vieux démon! s'écria Finnerty furieux. Tu devrais avoir honte de raconter des mensonges sur le compte d'un mort.

— Laisse-le vider son sac, dit le sergent à Finnerty. Tout homme a le droit de dire ce qui lui plaît sur le seuil de sa porte.

— N'empêche qu'il a pas le droit de dire du mal des morts, insista Finnerty, surtout quand y a pas un mot de vrai dans ce qu'il raconte. Pour sûr, tout le monde sait bien que le pauvre vieux Paddy Moynihan, que Dieu ait pitié de lui, aurait pas fait de mal à une mouche. Il avait pas plus de malice que l'enfant qui vient de naître.

— T'énerve donc pas, Joe, reprit le sergent. Y a toujours deux façons de voir les choses. »

Puis il se tourna vers le colporteur pour ajouter :

« Ma foi, t'avais des raisons de haïr Moynihan, c'est certain. Pas étonnant que t'aies eu envie de te venger de lui.

— À cette époque-là, déclara le colporteur, j'avais trop peur de lui pour songer à me venger. Oh, bon Dieu ! j'étais presque mort de trouille. Avec sa bande, ils me pourchassaient tout le long du chemin de l'école, en me lançant des petites pierres et des mottes de terre. "Colporteur, colporteur, colporteur", qu'ils braillaient en me courant derrière.

— Crénom, dit Finnerty, j'espère que ça te portera la poisse, rusé vieux coquin, d'essayer de nous faire croire que c'est Paddy Moynihan qui a persuadé les écoliers de crier "Colporteur, colporteur" dans ton dos. Pour sûr que toutes les âmes de la paroisse ont braillé "Colporteur" dans le dos d'un Counihan un jour ou l'autre, sans songer à mal. Et les Counihan non plus, ils songeaient pas à mal du reste. Pourquoi qu'ils l'auraient mal pris ? On les a toujours appelés les "colporteurs", tous autant qu'ils étaient, d'une génération à la suivante. »

Le sergent s'avança jusqu'à la porte ouverte et passa la tête dans la cuisine.

« Laisse-le donc tranquille, cet homme », dit-il à Finnerty.

La cheminée, les buffets chargés de très belles vieilles faïences brunes et les dalles qui couvraient le sol étaient tous méticuleusement propres et bien fourbis.

« Ah ! quel malheur ! s'écria le colporteur d'une voix

forte, en commençant à se balancer d'avant en arrière comme une pleureuse. Ils ont tous vécu, les Counihan, il reste plus que moi, et je serai bientôt parti, moi aussi, sans laisser la moindre famille derrière moi. Le bon vieux temps du marchand ambulant est révolu, à l'heure qu'il est. Jamais plus ils remonteront, son âne et lui, les sentiers pierreux de la montagne depuis le bord de mer pour apporter aux habitants sauvages des vallées de beaux objets rutilants, arrivant des contrées lointaines. Ah! malheur à moi! Malheur!

— Si t'en avais si peur que ça, de Moynihan, reprit le sergent en revenant auprès du colporteur, t'as dû avoir un mal de chien à te venger de lui. »

L'homme cessa de se balancer et leva vers le policier un regard en coin, tandis qu'un sourire d'une ruse infinie éclairait sa petite physionomie barbue.

« Tout a été très facile, chuchota-t-il sur un ton de plaisir intense, une fois que j'ai eu découvert son secret.

— Quel secret qu'il avait donc? dit le sergent.

— C'était un couard, répondit le colporteur.

— Un couard, répéta Finnerty. Paddy Moynihan, un couard!

— Tais-toi donc, Joe, dit le sergent.

— J'avais dix-neuf ans à l'époque, commença le colporteur, et j'étais en si mauvaise santé que je pouvais à peine marcher. Et pourtant, il fallait bien que je tienne le coup. Ma mère, que Dieu ait pitié d'elle, venait de mourir après une longue maladie, me laissant seul au monde sans presque un sou vaillant. Un soir, je rentrais chez moi de Ballymullen, avec un chargement de marchandises dans les paniers de mon âne, quand Moynihan est arrivé et s'est mis à me tourmenter. "Ta charge est pas bien équilibrée, qu'il a dit. Elle va verser." Et alors il s'est mis à ramasser des pierres sur la route et à les déposer dans les paniers, d'abord dans l'un, puis dans l'autre, en faisant semblant de chercher à équilibrer les deux côtés. Je savais bien ce qu'il avait en tête, moi, mais j'ai rien dit. J'étais muet de terreur. Et puis, tout à coup, voilà qu'il se met à rire et qu'il prend des pierres encore plus grosses dans le mur qui bordait la route pour les jeter dans mes paniers, l'une après l'autre. En riant à gorge déployée, il a continué à jeter des pierres, et encore des pierres, jusqu'au moment où mon pauvre baudet s'est effondré sous le poids monstrueux. C'était plus que j'en pouvais supporter. Malgré ma terreur, j'ai ramassé une pierre et je la lui ai lancée. Elle était pas bien grosse et je l'ai pas jetée très fort, mais elle l'a atteint à la joue et elle lui a quand même tiré un peu de sang. Il a levé la main et tâté la coupure. Et puis il a regardé ses doigts. "Dieu du ciel ! qu'il s'est écrié d'une petite voix faiblarde. Vlà du sang qui coule de ma joue. Je suis blessé." Sur mon âme, il a poussé alors un cri affreux et il est parti sur la route du village en courant comme un dératé, la main contre la joue, sans cesser de couiner comme une fille affolée. Quant à moi, ma foi, j'ai relevé mon âne et je suis rentré chez moi tout content ce soir-là. Un petit oiseau chantait au fond de mon cœur, parce que je savais que Moynihan pourrait plus jamais me faire souffrir.

— C'est bien vrai, renchérit le sergent, tu l'avais en ton pouvoir après ça. Il te suffisait de décider…

— Le mieux de tout, pourtant, interrompit le colporteur tout excité, c'est quand j'ai découvert qu'il avait mortellement peur des abeilles. Avant, il pouvait me voler tous mes fruits et mes légumes pendant que je courais les routes. C'était même pas la peine d'avoir un chien. Rien qu'à le voir, le plus féroce de tous les chiens était terrorisé.

— Espèce d'araignée noire venimeuse! lança Finnerty. Pourquoi que tu t'obstines à calomnier un mort?

— Tiens-toi tranquille, Joe, dit le sergent. Laisse-le finir son histoire.

— Tous les animaux adoraient Moynihan, insista Finnerty, parce qu'il les traitait avec douceur. Ils savaient bien qu'y avait pas une once de méchanceté chez lui. Et les enfants aussi l'adoraient. D'ailleurs, toutes les créatures du bon Dieu avaient de l'affection pour le pauvre vieux, à l'exception de ce petit infirme vindicatif qui lui enviait sa force, son bon naturel et son rire. Car c'est par-dessus tout son rire exubérant qui a éveillé la haine de ce petit maudit.

— Donc, tu t'es procuré des abeilles, dit le sergent au colporteur.

— J'ai acheté trois ruches, déclara celui-ci, et je les ai mises dans mon jardin. Ça a pas fait un pli. Ho! ho! Le gredin a souffert mille morts par la faute de ces abeilles, surtout depuis qu'on trouve plus grand-chose à manger dans les magasins, à cause de la guerre. Ah, je peux dire que j'en ai passé des jours à m'amuser, ici même sur mon tabouret, en le regardant tourner en rond comme un loup affamé, sans quitter des yeux mes beaux fruits et mes superbes légumes qu'il osait pas toucher. Mais n'empêche, je suis content d'apprendre qu'il est mort.

— C'est vrai? demanda le sergent Toomey.

— Ça me soulage d'un poids énorme, assura le colporteur.

— Ah bon?

— Ces temps derniers, reprit le colporteur, je recommençais à avoir peur de lui. Il avait tellement faim que ça le rendait fou. Or, on peut pas faire confiance à un dément. Malgré toute sa couardise, il aurait peut-être fini par m'attaquer pour dévaliser ma maison et mon jardin.

— C'est pour ça que t'as décidé de l'empoisonner? » questionna le sergent.

Le colporteur sursauta violemment et s'immobilisa, le regard fixé sur la poitrine du policier, au-dessus de lui. Un bref instant, il eut l'air inquiet. Puis un sourire sournois se diffusa sur son visage barbu et ses membres tremblants reprirent leur danse malhabile. Les talons ferrés de ses bottes faisaient désormais sur les dalles un triomphant vacarme.

« T'es un gros malin, sergent Toomey, chuchota-t-il d'un ton moqueur, mais jamais tu pourras prouver que je suis coupable d'avoir causé la mort de Paddy Moynihan.

— Il est venu chez toi aujourd'hui, dit le sergent.

— C'est vrai, convint le colporteur.

— Tu lui as donné quelque chose? demanda le policier.

— Rien du tout, répondit l'autre.

— Tu ferais aussi bien de dire la vérité, l'avertit Toomey. Quand le docteur reviendra ce soir, nous saurons exactement ce que le vieux Moynihan a mangé à son dernier repas.

— Je peux vous le dire tout de suite, rétorqua le colporteur.

— C'est vrai?

— Il est entré dans ma cuisine comme une bombe, déclara le colporteur, au moment où je faisais sauter quelques pommes de terre dans de la graisse de bacon que je recueille dans un bol. "Où que t'as eu du bacon?" qu'il m'a dit. Il adorait ça, le bacon, et il était furibond parce qu'y en avait pas dans les magasins. "J'ai pas de bacon, que j'ai dit. — T'es un menteur, qu'il a dit, je le sens d'ici." J'ai pas osé lui dire la vérité, de peur qu'il mette ma maison à sac pour dégotter mon bol de graisse. Parce qu'il m'aurait tué si j'avais essayé de l'empêcher de fiche le camp avec. Alors je lui ai dit que c'étaient des chandelles que j'étais en train de faire sauter avec mes pommes de terre. Dieu me pardonne, j'étais terrorisé par la lueur démente qui brillait dans ses yeux. Si bien que je lui ai dit la première chose qui m'est passée par la tête pour qu'il débarrasse le plancher. "Des chandelles! qu'il a dit. Dans ce cas, moi aussi, je vais bientôt manger des patates sautées." Et il est sorti en trombe de chez moi. Dès qu'il a eu le dos tourné, j'ai fermé la porte à double tour. Pas très longtemps après, il est revenu et il a essayé d'entrer, mais j'ai fait comme si je l'entendais pas frapper. "Espèce de vieux grigou! qu'il a crié en donnant dans ma porte un coup de pied si violent qu'il a failli la faire sortir de ses gonds. Moi aussi j'ai des chandelles à présent. Bientôt, je serai aussi bien nourri que toi." Et je l'entendais rire tout seul en repartant. Depuis je l'ai pas revu ni entendu.

— Tu crois qu'il a mangé les chandelles? demanda le sergent.

— J'en suis certain, répondit le colporteur. Il aurait mangé n'importe quoi. »

Le sergent croisa les bras sur sa poitrine et dévisagea l'infirme en silence pendant quelque temps. Puis il secoua la tête.

« Que le bon Dieu te pardonne! dit-il.

— Pourquoi tu dis ça? murmura doucement le colporteur.

— Toi aussi, t'es un gros malin, dit le sergent. La loi peut strictement rien contre un homme aussi malin que toi, mais tu devras quand même répondre de ton crime devant le Tout-Puissant, au jour du Jugement. »

Puis il se tourna vers Finnerty et lança vertement :

« Allez, viens, Joe. Fichons le camp d'ici. »

Finnerty cracha par terre, aux pieds du colporteur.

« Espèce d'affreux bonhomme ! s'écria-t-il. Nain malfaisant ! Tu rôtiras en enfer de toute éternité pour expier ton crime. »

Puis il suivit le sergent le long de l'étroit sentier dallé qui séparait le jardin en deux.

« Ho ! ho ! s'écria le colporteur triomphant, sans les quitter des yeux. Ho ! ho ! mes jolis cocos ! C'est'y pas merveilleux d'entendre les puissants de ce monde demander l'aide de Dieu pour punir les démunis ? C'est'y pas merveilleux de voir la loi du pays implorer Dieu de se joindre à elle contre les faibles et les persécutés ? »

Il éclata d'un rire moqueur qu'il interrompit brutalement.

« Vous m'entendez rire tout fort ? hurla-t-il après eux. De toute ma vie, personne, jamais, m'a entendu rire ainsi. Si je ris tout fort, c'est parce que je crains ni Dieu ni homme. Cette heure est véritablement l'heure de ma félicité. Sur ma foi, c'est vrai. Cette heure est celle de ma satisfaction. »

Il continua à rire par intervalles, d'un rire aigu et perçant, tandis que les deux hommes suivaient le sentier dallé jusqu'à la barrière avant de tourner à droite le long de la route qui devait les ramener au logis sordide de Moynihan.

« Ho ! ho ! jubila-t-il entre deux éclats de rire. Quel délicieux contentement j'éprouve à présent pour me consoler de toute mon épouvantable honte, de ma souffrance, de ma désolation. Je peux mourir en paix. »

Désormais, les talons ferrés de ses bottes tambourinaient sur un rythme frénétique contre les dalles, et ses mains tremblantes ne cessaient de monter et de descendre le long de son bâton de prunellier, comme s'il s'agissait d'un pipeau dont elles tiraient une musique.

Tout arrive à maturité

Assis au soleil, à l'entrée de son terrier, le petit lapereau dormait à moitié. Ses longues oreilles étaient
rabattues sur son échine et ses flancs se soulevaient
doucement à chaque respiration. De temps à autre,
une légère brise s'élevant du ruisseau ébouriffait sa
fourrure où elle traçait des sillons argentés. Chaque
fois que la brise l'effleurait, il humait l'air, impatient de
voir sa mère venir l'allaiter.

Il était à présent d'âge à s'alimenter tout seul le
long des rives verdoyantes du petit cours d'eau, mais
ses frères et sœurs avaient été tués par une belette, si
bien que les mamelles de sa mère, quoique en voie
d'assèchement, produisait encore assez de lait pour le
nourrir. Jusqu'à présent, il n'avait donc pas été obligé
d'arracher d'un coup de dent les courts brins d'herbe
afin de les mâchonner. Il se contentait de sortir de son
terrier, de sautiller au soleil, reniflant le sol, ou bien
de rester assis l'oreille aux aguets, écoutant les bruits,
jusqu'à ce qu'un son menaçant le fît plonger à l'abri au
fond de son trou.

Pour le moment, une paix absolue régnait au bord de l'eau. Le soleil était encore à son zénith, bien que midi fût largement passé. Ses rayons tombaient en plein sur la cascade qui, dans un murmure sauvage et plaintif, se déversait de l'étroite gorge tapissée d'une épaisse couche de bruyères en fleur. Telle la crinière d'un cheval flottant au vent, l'eau jaillissait du goulet, drue et brune à la base, là où elle était colorée par la terre et la bruyère, puis s'élargissait dans sa chute pour former un rideau argenté. Sous la cataracte se trouvait un bassin allongé et profond. Des mouches filaient à la surface de l'eau et des truites bondissaient après leurs ailes chatoyantes. À l'extrémité la plus proche de ce bassin, juste au-dessous de l'endroit où somnolait le lapereau, une rangée de rochers paraissait jetée en travers du ruisseau. Dans un creux entre deux rochers, un canard sauvage se tenait sur une patte et dormait, le bec enfoncé sous l'aile.

On n'entendait aucun bruit, hormis la mélodie somnolente de la cascade. Quelque temps auparavant, lorsque le canard s'était abattu, en cancanant, le lapereau avait pris peur et foncé dans son terrier. Mais ayant repassé le nez et observé le volatile un long moment, tandis qu'il cherchait pâture dans le ruisseau, le fouillant de son bec, le petit animal s'était habitué à lui et n'en avait plus peur. Maintenant le canard endormi faisait partie du décor. On ne voyait plus rien de lui entre les rochers, à l'exception des plumes éclatantes de son aile et d'un petit bout de bec jaune.

Soudain le canard se réveilla et sortit son bec de sous son aile. Il tendit le cou et tourna la tête de part et d'autre, écoutant. Puis il se mit à agiter la tête et posa ses deux pattes au sol. Il fit un petit écart de côté, avec un brusque mouvement de la tête et de la queue. Après quoi il poussa un coin-coin. C'était un appel très sourd, à peine audible, mais il surprit le lapereau. Il fut aussitôt en éveil et bougea. Tout d'abord, il aplatit ses oreilles le long de son dos et se tapit, le ventre contre le sol. Puis il se souleva peu à peu, redressa les oreilles et écouta. Il observa le canard.

Celui-ci, très excité à présent, se mit à cancaner sans interruption. La gorge frémissante, il piétinait son rocher à tout petits pas. Le lapereau fut pris d'une vive curiosité, parce qu'il ne parvenait pas à découvrir la cause de cette inquiétude. Il n'y avait ni bruit ni odeur. Il s'assit sur son postérieur et pointa les oreilles le plus loin possible vers l'avant, laissant ses pattes antérieures pendre sur son poitrail. Il écouta et regarda avec une attention soutenue. Il commençait à avoir peur.

Puis le canard poussa un cri perçant et s'envola des rochers dans un grand froissement d'aile. Il décrivit un demi-cercle puis monta en flèche dans le ciel, prenant de la vitesse à mesure qu'il s'élevait, jusqu'à ce qu'il eût disparu par-dessus un bouquet d'arbres qui se dressait un peu plus loin le long de la rive. Le lapereau reposa ses pattes de devant sur le sol et se pelotonna pour plonger dans son terrier. Pourtant, il ne bougea pas. L'envol du canard et les violents battements d'aile l'avaient si bien surpris qu'il était incapable de remuer. Il resta donc où il se trouvait, tapi au sol.

Alors, tandis qu'il se tenait ainsi, il fut saisi par la peur. C'était exactement ce qu'il avait éprouvé quelques jours auparavant quand le seul frère qui lui restait, ayant bondi dans une touffe d'églantines sur la gauche, s'était brusquement mis à crier. Il y avait quelque chose d'étrange dans l'air, la proximité d'une force sinistre qui empêchait tout mouvement. Cette fois-là, cependant, il avait réussi à se mouvoir au bout d'un petit moment et à courir jusque dans son terrier. Maintenant, c'était différent.

L'affreuse sensation s'accentua. Le silence était absolu, le lapereau ne décelait aucune odeur anormale, et pourtant il sentait que la force sinistre approchait, une force inconnue et monstrueuse. Malgré lui, bien qu'il désirât par-dessus tout se cacher aux yeux de l'ennemi, il regarda dans la direction d'où il devinait son approche. Sa tête fut secouée par un violent frisson tandis qu'il jetait un bref regard en direction des rochers en travers de l'eau. Puis il se mit à hurler. Une belette franchissait le pont improvisé.

Jamais le lapereau n'avait vu de belette, mais ce long corps brun qui se mouvait à une vitesse effrayante, sans faire le moindre bruit, le rendit fou de terreur. La belette s'immobilisa au milieu du ruisseau, souleva sa tête puissante et contempla le petit lapin, fixant sur lui son regard cruel. Puis, la tête toujours levée, sans quitter sa proie des yeux, elle glissa comme un éclair jusqu'à la rive. Elle disparut une fraction de seconde derrière une pierre qui se trouvait sur son passage avant de reparaître aussitôt, se détachant contre le petit rocher, le regard fixe. À présent sa tête massive dressée au-dessus du long cylindre brun de son corps ressemblait à celle d'un marteau prêt à s'abattre. Les cris du lapin se firent de plus en plus affolés. Il était désormais entièrement au pouvoir de son ennemie, paralysé par son regard fixe et sa sinistre présence.

La belette, ayant hypnotisé sa proie, était sur le point de se faufiler jusqu'à elle pour se gorger de sang, lorsque la mère du lapereau bondit hors de la touffe d'églantines sur la gauche et se mit à courir en couinant. Elle avançait d'étrange façon, par bonds latéraux, comme un chien qui s'efforce d'apercevoir un lièvre dans un champ de blé. C'était une danse grotesque, sur un accompagnement de piaillements hystériques. Elle passa juste devant la belette dont elle fit deux fois le tour, la menaçant à chaque fois de ses pattes levées. Elle détourna le regard du prédateur de son petit vers elle-même. Lorsqu'il fut posé sur elle, elle se laissa retomber au sol et se mit à trembler. Lentement, elle s'éloigna en rampant vers la touffe d'églantines, sans cesser un instant de glapir. Dans un glissement, la belette s'éloigna du rocher pour s'avancer rapidement vers la lapine.

Dès que les yeux de la belette l'eurent quitté, le lapereau s'arrêta de hurler. Puis il commença à ramper loin du danger, vers l'amont du ruisseau. Il bougeait comme s'il avait l'échine rompue. Il était presque paralysé et souffrait atrocement chaque fois qu'il ramenait ses pattes de derrière sous son ventre afin de bondir en avant. Mais plus il s'écartait de la belette, moins la douleur était forte dans ses articulations, jusqu'au moment où il lui sembla être enfin libéré d'un grand poids et où il fut capable de courir, en trébuchant quelque peu, dans un gros monticule d'herbe qui poussait autour d'un buisson d'ajoncs. Avec son museau il creusa un trou au milieu de l'herbe épaisse et rêche, puis il se tapit immobile au beau milieu, hors d'haleine. Et il s'y endormit.

Lorsqu'il s'éveilla, la soirée était déjà fort avancée et le soleil était couché. Il avait très faim. Désormais, sa crise de terreur et le regard fixe de la belette n'étaient plus qu'un vague souvenir. Il avait envie de calmer sa fringale en tétant sa mère. À reculons, il sortit de sa tanière au milieu de l'herbe pour se mettre à sa recherche. Il la trouverait sûrement dans le terrier où elle revenait toujours le soir pour l'allaiter.

Il repartit en courant vers le terrier, aussi vite qu'il pouvait, le petit bouton blanc de sa queue bondissant dans la pénombre comme un morceau de coton emporté par le vent. Il plongea fougueusement dans le terrier, cherchant sa mère. L'endroit était vide. Il ressortit, s'assit sur son derrière et dressa les oreilles, humant l'air et écoutant. Au loin, des grenouilles coassaient dans un marais. Un courlis cria en plein vol. Une multitude d'autres oiseaux, prêts à se percher pour la nuit, gazouillaient. Il se laissa retomber à quatre pattes et fit quelques pas en sautillant, reniflant le sol, pointant de temps à autre une oreille vers l'avant, puis l'autre, pour écouter. Tout autour de l'entrée du terrier, parmi les monticules de terre parsemés de petites crottes rondes, il sentait l'odeur de sa mère, mais une odeur déjà ancienne et éventée. Il s'éloigna du trou, le nez au sol, en quête d'une trace plus récente.

Il la trouva enfin, foulant le chemin parcouru par sa mère quand elle avait dansé devant la belette. Il en suivit soigneusement tous les détours jusqu'au moment où il arriva auprès d'elle, là-bas près de la touffe d'églantines. Elle gisait sur le flanc, déjà raidie par la mort. Ses mamelles étaient tournées vers le lapereau et il était sur le point de refermer son museau sur la tétine la plus proche lorsqu'il recula légèrement, étonné par les effluves inhabituels que dégageait le corps de sa mère. Il se tapit au sol, la tête rentrée dans les épaules. Puis il l'avança encore une fois, craintivement, pour renifler doucement le cadavre d'un bout à l'autre. Juste au-dessous de l'oreille, l'odeur était très étrange et terrifiante. Il y avait un petit trou à cet endroit, un trou dont le pourtour était souillé de sang coagulé. Dès qu'il eut humé le sang, il sombra dans un nouveau paroxysme de terreur. Il fit un bond en arrière, s'assit sur ses pattes de derrière, contempla longuement la dépouille, lâcha un glapissement et courut se réfugier dans son terrier. Il se tapit tout au fond du trou, en haletant.

Pendant longtemps, il y resta prostré, pressant de toutes ses forces la tête contre le sol glacé. Puis, une fois encore, la faim vint tenailler ses entrailles. Peu à peu, elle devint plus forte que la peur, chassant de son esprit le souvenir de cet horrible sang coagulé sous l'oreille de sa mère. Sa faim devint féroce, engloutissant les souvenirs. Il se faufila hors du terrier.

La nuit était à présent tombée et la lune luisait, baignant le versant herbeux de sa lumière vermeille et féerique. Plusieurs lapins des terriers voisins broutaient au clair de lune. Deux petits lapereaux, à peu près du même âge que lui, se pourchassaient. Il s'approcha d'eux en quelques bonds et se mit à grignoter.

C'était l'instant où la rosée tombait sur l'herbe qu'elle rendait juteuse et douce, exactement comme le lait de sa mère. Quand il fut rassasié, il se joignit à la danse des autres petits lapins. Maintenant, il n'avait plus peur et il avait complètement oublié sa mère. Il faisait partie du troupeau.

Le fanatique

Tout, dans la taverne obscure qui faisait également office de magasin général, disparaissait littéralement sous la crasse. Le vieux comptoir en bois était aussi ocellé que le pelage d'un léopard, les traînées de mousse séchée qu'y avait laissées la bière brune s'imbriquant dans un véritable labyrinthe d'anneaux imprimés par le fond des chopes d'une pinte. Le plancher était vérolé de trous, dont certains assez grands pour engloutir un enfant. À la cave, au-dessous, les rats faisaient un chahut d'enfer en filant dans tous les coins. La lumière du jour avait peine à pénétrer la masse immonde de poussière et de détritus qui souillait les vitres. Des milliers de mouches hantaient l'endroit, se nourrissant, s'accouplant et s'ébattant à leur guise. L'air était chargé d'une puanteur nauséabonde. Arrivant par la porte ouverte qui donnait sur la rue, les bruits de la vie normale et saine d'une petite bourgade de campagne paraissaient irréels, voire plaintifs.

Seigneur Dieu! Vraiment on eût dit un lieu inventé par le père Mathew, le célèbre apôtre de la tempérance, lorsqu'il prononçait une homélie sur les horreurs de l'alcool.

« Que Dieu protège tous les habitants de ce lieu », lançai-je d'une voix forte.

Pas de réponse et il n'était d'ailleurs guère raisonnable d'en espérer une ; car il semblait bien qu'au-dessus des profondeurs souterraines la demeure n'abritât aucun être vivant, en dehors des mouches et des araignées qui s'efforçaient de les prendre dans leurs toiles parmi les poutres du plafond.

« Il y a quelqu'un ? repris-je à la cantonade.

— Oui », fit une voix.

Je regardai à ma gauche et vis le visage d'un homme s'encadrer dans le chambranle de la porte ouverte qui menait à la cuisine sur le derrière du bâtiment. L'éclairage étant faible, je ne pus distinguer aucune forme attachée à ce visage. On aurait dit une apparition, cette physionomie jaune qui flottait sans attaches dans les ténèbres. Une espèce de peur me saisit.

« Juste ciel ! me dis-je *in petto*, tandis qu'un frisson d'inquiétude me parcourait lentement l'échine. Où donc suis-je tombé ? Dans la taverne des morts ? Ou bien la chaleur inaccoutumée m'a-t-elle fait perdre la raison ? »

Mais alors le visage émit une petite toux polie et je vis un homme grand et maigre s'avancer vers moi très lentement derrière le comptoir. Il allait tête basse, frottant interminablement l'une contre l'autre, à la hauteur de son nombril, les paumes de ses mains veinées de bleu. Il passa devant moi sans jeter un regard dans ma direction, marchant sans faire de bruit sur la pointe des pieds. Une fois qu'il m'eut dépassé, il haussa rapidement par trois fois ses épaules étroites et voûtées, geste qui d'ordinaire dénote un ivrogne invétéré.

« Dieu merci, dit-il d'une voix douce et basse après

s'être immobilisé devant la fenêtre, il fait une superbe journée.

— Dieu soit loué, répondis-je, il serait difficile d'y trouver à redire, en effet.

— Peut-être le temps va-t-il se maintenir au beau à présent, reprit l'homme. Une bonne période de beau temps nous arrangerait bien.

— C'est vrai, renchéris-je. Elle nous arrangerait fichtrement.

— Oh, pour ça, vous avez raison, dit l'homme. Il ne fait aucun doute qu'une période prolongée de beau temps ferait merveille dans le pays, par le saint nom de Dieu. »

Puis il croisa les mains au creux de ses reins, laissant le haut de son corps s'affaisser doucement vers moi, tout à fait comme un voyageur sur le pont d'un navire par temps de brise s'efforce de garder son équilibre malgré l'anarchie de la houle.

« Où votre hâte vous emmenait-elle ? demanda-t-il poliment.

— Figurez-vous que je suis passé prendre une bouteille, répondis-je.

— Ah bon ! Dans ce cas, dit-il, c'est une envie de bouteille qui vous amène.

— Tout à fait, dis-je. L'envie d'une bouteille de bière brune. »

Il se redressa brusquement, haussa les épaules et secoua violemment la tête, comme un homme qui souffre du froid.

« Sur mon âme, dit-il, vous n'avez absolument aucune raison d'avoir honte d'une pareille envie par une journée aussi caniculaire.

— En effet, dis-je, c'est la chaleur qui m'a donné soif.

— Oh, pour sûr, reprit-il d'un ton convaincu, vous

devriez même être fier d'avoir soif par une journée comme aujourd'hui, au lieu de vous sentir le moins du monde honteux. »

Puis il me lança un regard par-dessus son épaule.

« Ne craignez rien, brave homme, ajouta-t-il d'un ton franchement amical. J'ai ici même une excellente bouteille bien fraîche pour vous, emplie d'une bière brune aussi savoureuse et bonne pour la santé que le lait de toutes les vaches que vous avez pu voir dans votre vie. Elle l'est, ma foi, voilà qui ne fait aucun doute. »

Il avait le cou raide et, placé comme il l'était, il fut obligé de faire pivoter son corps entier à partir des genoux pour pouvoir me regarder en face. Grand Dieu! ses yeux étaient d'une beauté extraordinaire. On aurait dit des yeux de femme, pleins de douceur, de gentillesse, de tendresse. Il était tout à fait impossible d'en distinguer la couleur dans cette pièce sombre. C'était, me sembla-t-il, un mélange de brun, de gris et de vert; comme ces petits cailloux multicolores qui tapissent le lit d'un rapide torrent de montagne à la surface duquel dansent les rayons éclatants du soleil.

« Allons, dis-je. Au nom de Dieu, ayez l'obligeance de me la donner, cette belle bouteille. En voulez-vous une aussi, brave homme? »

Il secoua tristement la tête.

« Merci, chère âme, dit-il, mais voici bien deux ans que je n'ai pas touché une goutte, bonne ou mauvaise. »

Puis il sursauta et commença à faire pivoter son corps avec la plus grande lenteur, tenant sa tête grotesquement immobile sur son cou raide. Quand il eut enfin accompli sa volte-face, il eut un petit frisson convulsif des épaules, émit une toux étranglée et s'avança vers moi sur la pointe des pieds. Il passa devant moi le visage détourné et les mains jointes devant son nombril comme quelqu'un qui prie. À en juger par ses mouvements de mâchoires, ses lèvres devaient articuler des mots. Pourtant je n'entendais pas le moindre discours en sortir.

« Ah, oui! me dis-je intérieurement. Le pauvre bougre a l'esprit dérangé. »

Il prit une bouteille, la déboucha et emplit un verre qu'il plaça devant moi sur le comptoir. Je lui tendis une demi-couronne.

« Vous m'avez l'air d'un homme qui a parcouru une bonne partie du monde, dit-il tout en cherchant dans la caisse la monnaie à me rendre.

— Je suis allé un peu partout, reconnus-je.

— C'est bien ce que je pensais, dit-il. On distingue l'empreinte du voyageur sur votre sage physionomie.

— Merci, répondis-je.

— Il n'y a pas de quoi. »

Il s'approcha encore une fois de moi derrière son comptoir, tête basse. En passant devant moi, il me tendit ma monnaie sans un coup d'œil dans ma direction. Puis il continua lentement son chemin, sur la pointe des pieds, jusqu'à un petit cagibi en bois situé entre l'extrémité du comptoir et la porte ouverte donnant sur la rue. C'était là qu'étaient rangés les livres de compte du magasin. Il y passa la tête et s'immobilisa net, les mains croisées derrière son dos et les jambes largement écartées derrière lui : exactement comme un mouton effrayé qui cache sa tête dans un trou et laisse son gros derrière tremblotant exposé au danger qui fond sur lui.

« Il a l'esprit dérangé, sans aucun doute », me dis-je encore une fois.

Puis j'avalai une gorgée de bière brune et allumai une cigarette. L'homme avait eu beau en vanter les mérites, le breuvage était sur et d'une tiédeur presque répugnante. Il laissa dans ma bouche un goût épouvantable. Nous restâmes un long moment sans mot dire, l'homme et moi. Le seul bruit que l'on entendît dans la taverne était la sarabande des rats à la cave. Au loin, sur une route de campagne au-delà de la ville, les roues d'une charrette tournaient tandis qu'un homme chantait une joyeuse chanson d'amour.

« Écoutez, finit par dire le tavernier.

— Oui ? répondis-je.

— Êtes-vous jamais allé en Angleterre ?

— J'y suis allé, lui dis-je. Pourquoi le demandez-vous ? »

Il haussa les épaules comme un ivrogne, sortit la tête du cagibi et me regarda, faisant lentement pivoter son corps depuis les genoux, la tête immobile sur son cou raide. Cette tête, on aurait dit un de ces chevaux de bois qui tournent en rond dans les fêtes foraines. Je remarquai soudain qu'elle avait une forme tout à fait étrange. Je trouvai d'abord qu'elle ressemblait beaucoup à la tête d'un phoque, car à aucun endroit le crâne n'était plus large que le cou sur lequel il reposait. En outre, le visage, jaune et huileux, était aussi lisse qu'un de ces galets que la mer découvre sur une grève à marée basse. À la réflexion, cependant, j'en vins à la conclusion qu'elle ressemblait plus encore à la tête d'un vieil étalon, le cou jaillissant des épaules, large et puissant, s'amenuisant à mesure qu'il s'élevait, puis obliquant légèrement vers l'avant pour se terminer par un crâne rond et nu. À l'exception des sourcils, sa figure était entièrement glabre. Les dits sourcils au demeurant n'auraient pu fournir tout à fait de quoi garnir le nid d'un roitelet.

« Il est aisé de voir, marmonna-t-il d'un ton brusquement hostile, que vous êtes allé en Angleterre.

— Vraiment ? m'étonnai-je.

— Oui, reprit-il avec emphase. L'Angleterre marque

de son empreinte tous ceux qui posent le pied sur son sol.

— Quel genre d'empreinte? » demandai-je.

Il fixa son regard sur la cigarette allumée dans ma main.

« Les habitants de l'Angleterre, déclara-t-il d'un ton dont l'intensité dénotait la monomanie, sont tous des païens, tous jusqu'au dernier. Sur ma foi, ce sont des païens. Tous jusqu'au dernier, ils se sont vendus au diable, eux et tout ce qu'ils possèdent. Vendus au diable de l'enfer. Ils sont voués à être rôtis tout rouges et damnés dans l'autre monde, et le diable les emporte pour leur convoitise qui les a incités à vendre leur âme. »

Je le dévisageai, interloqué, puis je dis :

« Vous plaisantez?

— Si je plaisante? dit-il. Aussi vrai que je crains le diable, je suis tout ce qu'il y a de sérieux. Les Anglais sont tous pourris. C'est mon dernier mot. »

Et là-dessus il fourra encore une fois la tête dans le cagibi et s'immobilisa complètement, à l'exception de ses doigts qui cherchaient à s'attraper les uns les autres au creux de ses reins. Crénom! Il était attifé comme l'as de pique, ce pauvre type. Ses vêtements ne valaient pas un clou. Et pour ce qui était de la crasse, ils étaient vraiment repoussants! À elles deux sa chemise et sa veste n'avaient pas un bouton. Ses souliers avachis étaient jaunes, décolorés par la vieillesse et le manque de soin. Les languettes dépassaient, les lacets n'étaient pas noués. Le cuir était griffé, la semelle usée. On apercevait sa peau nue, par endroits, à travers les trous de son pantalon de flanelle.

« Et en France, vous avez voyagé? » demanda-t-il au bout d'un moment.

Je reconnus que je connaissais bien ce pays.

« Dieu vous le pardonne! s'exclama-t-il.

— Pourquoi dites-vous une chose pareille? »

L'énergumène se mit dans tous ses états. Il sortit la tête du cagibi et me dévisagea fixement d'un air mauvais. À présent une haine brûlante se lisait dans ses yeux superbes, si doux et amènes quelques instants auparavant : languides de désir comme les yeux d'une femme qui rêve d'amour passionné. Grand Dieu! je commençai à craindre que sa démence n'eût triomphé de sa volonté, le laissant en proie à une mauvaise intention.

« Les Français sont encore pires que les Anglais, dit-il.

— Mais pourquoi dites-vous ça? demandai-je d'un ton neutre.

— Ce sont des gens lubriques, répondit-il. Il n'y a dans cet abominable pays rien d'autre que de la crasse et la saleté du péché. Quiconque y pose le pied est en danger de perdre son âme immortelle. »

Voyant qu'il avait encore une fois caché sa tête dans le cagibi, je décidai de filer en douce. J'avalai donc la moitié de ma bière et me dirigeai vers la porte sur la pointe des pieds de peur d'attirer l'attention de mon curieux bonhomme. Je ne parvins pas à m'échapper, toutefois. Au moment où j'arrivai à la hauteur du cagibi, il sortit soudain la tête pour me regarder sans ciller. Je m'arrêtai net et soutins son regard, les yeux fixes, la bouche grande ouverte. Et nous étions là, tous les deux, de part et d'autre du comptoir, nos visages à quelques centimètres l'un de l'autre, la physionomie de l'étrange bonhomme frémissante d'hystérie, la mienne figée par l'inquiétude. Pendant près d'une minute, aucun de nous deux ne souffla mot.

« Attendez, murmura-t-il enfin, attendez que je vous dise.

— Allez-y, dis-je.

— Les Américains sont les pires de tous, reprit-il. Ils ont causé la ruine du monde entier avec leurs films

42

immondes. Ils répandent aux quatre coins de la planète l'adultère et toutes les autres sortes de cochonneries sexuelles, de même qu'on répand du fumier pour amender un jardin.

— Les Américains? répétai-je.

— Oui, dit-il. Les habitants de l'Amérique, et il est affreux de devoir admettre que quelques membres de notre sainte race se trouvent là-bas, parmi eux. »

« Que le diable l'emporte avec ses histoires, me dis-je à moi-même. Fou ou pas fou, il va quand même un peu trop loin. »

Je posai les coudes sur le comptoir et lui dis :

« Écoutez-moi, mon brave. Vous devriez avoir honte d'insulter ainsi toute la race humaine, à l'exception des quelques individus qui peuplent l'île assez insignifiante que nous habitons. Vous êtes comme le renard, me semble-t-il, incapable de sentir vos propres saletés. Si la première pierre ne pouvait être jetée que par quelqu'un qui n'ait jamais péché, elle ne le serait jamais. »

Je regrettai cette sortie avant même d'avoir fini de parler. Le pauvre bougre s'était mis à trembler de la tête aux pieds. La lueur haineuse avait disparu de ses yeux, redevenus doux et rêveurs. Mais maintenant c'était la pitié et l'indulgence qu'ils réclamaient.

« Ah! mon cher frère, dit-il, ne m'en voulez pas si je suis sot et si je parle à tort et à travers. Je suis à demi mort de solitude depuis que ma sœur est partie, il y a deux ans.

— Je comprends, frère, répondis-je. Au nom de Dieu, ne me tenez pas rigueur, vous non plus, des paroles inconvenantes et cruelles que je viens de prononcer.

— C'est entendu, chère âme. Je sais bien que ce n'est pas par malveillance que vous avez laissé ces propos s'échapper ainsi de vos lèvres.

— Que non pas, renchéris-je. Bien souvent, quelques mots malvenus se glissent par le coin de votre bouche sans que votre esprit s'en aperçoive.

— C'est tout à fait vrai, mon frère, dit-il. Je me suis surpris à en faire autant, à d'innombrables reprises, au cours des deux dernières années. Il est bien difficile de maîtriser sa langue quand on a le cœur éperdu de douleur. Ah! mon très cher, je peux vous dire que la solitude est une terrible maladie.

— Votre sœur est partie? demandai-je.

— Eh oui, mon âme. Kate est partie en Amérique. Voici deux ans à la Saint-Brigid. Dieu nous vienne en aide! C'était un coup imparable, ne me dites pas le contraire. Un coup mortel!

— Ah bon? repris-je. Vous viviez seuls tous les deux?

— Rien que nous deux, dit-il, depuis la mort de la mère, que Dieu ait pitié de son âme. Quand elle a trépassé, Nora était déjà partie pour l'Amérique et Kate était écolière dans un couvent de Dublin. C'est moi qui ai reçu cette maison en partage et Kate est revenue s'occuper de moi, du fait que j'étais très délicat de santé. Elle est rentrée chez nous sans rechigner, la pauvre petite, et elle y est restée dix-sept ans. C'est un fait, sur ma foi. Oh! je vous jure qu'on n'aurait pas pu trouver de fille plus sage. Et dure à la tâche! Comme travailleuse diligente, capable et ordonnée, elle n'avait pas sa pareille. Ah, mon frère, c'était une véritable sainte, il n'y a pas à dire. Aucun homme, jamais, n'a eu une mère plus dévouée que ma sœur Kate ne l'a été envers moi. S'est-elle bien occupée de moi? Elle m'a servi et dorloté, oui, comme si j'étais un petit oiselet tout nu dans son nid. Oh, je vous promets que nous étions bénis de Dieu tous les deux, si douillettement installés dans la taverne que voici, avec le boire, le manger et un toit sur nos têtes, comme Dieu l'a prescrit pour mener une existence chrétienne, sans aucun besoin de franchir le pas de notre porte pour chercher un peu de beurre, ou une miche de pain de gruau, ou une tranche de viande, ou une poignée de thé. Nos bons voisins ne cessaient d'entrer et de sortir. La chapelle était à moins de cent mètres, à l'autre bout de la rue. Les jours de foire, on fêtait un peu l'événement, on lampait une gorgée et on chantait une chanson ou deux. Ah! Seigneur Dieu! la voilà la belle vie, ne me dites pas le contraire. »

Terrassé par l'émotion, le malheureux éclata en sanglots.

« Oh, Kate, Kate, gémit-il à travers ses larmes, tu étais si douce, si bonne, si pieuse. Pourquoi as-tu fait ça? Oh! Pourquoi? »

Puis il se détourna et gagna la fenêtre. Ses doigts semblaient à présent s'entr'attaquer sauvagement au creux de ses reins. J'entendais un râle dans le fond de sa gorge. Nom d'un chien! Je reconnais que son chagrin me toucha considérablement.

« Qu'est-ce qu'elle a donc fait? » demandai-je avec douceur.

Me tournant le dos, il se pencha en arrière pour contempler le plafond, dans l'attitude grotesque d'un homme qui a le cou raide. Il montrait les dents à présent et son regard était féroce.

« Les images venues d'Amérique! lança-t-il. Qu'elles soient maudites!

— De quelles images parlez-vous? questionnai-je. Des films?

— Les images, je vous dis, brailla-t-il. Ce sont les images du diable, oui, que Dieu me pardonne. »

Il frissonna et continua d'un ton moins virulent :

« Elles sont arrivées dans notre bourgade voici environ cinq ans. C'est une espèce de petit étranger basané qui les a apportées de Dublin. Il les montrait une fois par semaine et il n'y avait que les jeunes gredins et les traîne-savates qui fréquentaient la salle ; ils lançaient des mottes de terre, hurlaient des insultes à l'étranger et cassaient les sièges. Et puis le prêtre a parlé, du haut de sa chaire, disant qu'en toute équité nous étions tenus de laisser l'étranger gagner sa vie. Après cela, les gens respectables ont commencé à aller voir ces images, surtout les femmes. Bientôt, il y avait trois séances par semaine, devant des salles pleines à craquer. Pleines de femmes, jeunes et vieilles. Écoutez-moi, brave homme. Toutes les saletés étrangères qui pénètrent dans notre sainte île, c'est la faute des femmes. Les femmes ! On dit que les chèvres sont les créatures les plus curieuses qui existent. On dit que si on laisse une chèvre arriver jusqu'au portail d'une église, elle finira par manger la nappe d'autel. Eh bien, les femmes sont encore plus curieuses et plus hardies que les chèvres, quand elles se mettent en quête de bonnes occasions de pécher. Les femmes sont enclines au mal de nature et il faut user d'une sévère discipline si l'on veut les maintenir dans le droit chemin. Par tous les saints, elles sont débauchées dès le berceau. À peine en sont-elles sorties, en tout cas, qu'elles commencent à s'attifer et à faire les coquettes, se préparant à la débauche.

— C'est leur nature à ces malheureuses, il ne faut pas leur en vouloir, protestai-je. Elles sont telles que le bon Dieu les a faites.

— Kate a commencé à assister aux séances, continua-t-il, et ma conscience me reproche de ne pas avoir essayé de l'en empêcher. Mais que pouvais-je dire, alors que le curé de la paroisse avait donné sa bénédiction à l'étranger ? »

Il se tourna vers moi et leva les deux mains devant son visage, les doigts repliés vers l'intérieur comme des griffes. Ses yeux brillaient.

« Si je le tenais à présent, ce métèque, dit-il haineusement, je peux vous dire que je commencerais par l'étrangler de mes mains et puis je lui arracherais la chair des os, lambeau par lambeau. »

Je longeai doucement le comptoir jusqu'à l'endroit où se trouvait mon verre. J'avalai le reste de bière qui avait perdu son acidité. Sur mon âme ! j'ai toujours eu un peu peur des déments. Après avoir allumé une autre cigarette, je regardai le tavernier par-dessus mon épaule. Il avait de nouveau enfoncé la tête dans le cagibi. Ses jambes écartées étaient loin de la porte et ses doigts s'agitaient frénétiquement derrière son dos. Il sanglotait.

« Il vaut mieux que je m'en aille, me dis-je. Ce n'est pas convenable de regarder l'âme d'un homme quand elle se trouve mise à nu et frémit de douleur. »

Au moment où je me dirigeais à pas de loup vers la porte, le désespéré reprit la parole d'une voix que les sanglots avaient rendue rauque. Je m'arrêtai donc, de peur qu'il ne pensât que mon départ dénotait un manque de bonté et de compassion.

« Hélas, gémit-il. Il n'a pas fallu longtemps à ces images immondes pour la corrompre. Au début, on aurait dit qu'elles lui faisaient peur. Après les avoir regardées, elle rentrait à la maison la terreur au fond des yeux. Et puis une fois couchée, elle faisait des cauchemars, à croire que le diable se trouvait avec elle entre les draps et cherchait à étrangler son âme immortelle. En moins d'un mois, le mal était fait. Un jour, elle a pris le car jusqu'à Galway et quand elle est revenue le soir, je l'ai à peine reconnue. Oh ! Seigneur ! Elle avait coupé tous ses cheveux et le peu qu'il lui restait était tortillé à la façon des étrangères et dégoulinait de l'huile parfumée de la luxure. Quand j'ai commencé à lui dire ma façon de penser, figurez-vous qu'elle a mis les poings sur ses hanches et qu'elle m'a ri au nez. Elle se moquait de moi! Elle m'a traité de vieux crétin et même pis, sauf votre respect! À dater de ce moment, on s'est pris en grippe tous les deux. Entre nous, ce n'était plus que disputes et jérémiades, nous qui nous aimions tant. Elle n'arrêtait pas de me réclamer de l'argent du matin au soir pour acheter ci ou ça. Elle se plaignait d'avoir passé les meilleures années de sa vie à s'échiner pour moi comme une esclave sans rien recevoir en retour. Bon, c'était vrai que je ne lui avais jamais donné d'argent, mais il était à nous deux. Tout l'argent qu'on gagnait chez nous était mis de côté et aucun de nous deux n'en dépensait un sou. Or voilà qu'à présent elle voulait tout changer. Elle exigeait sa part et il fallait la lui donner. Seigneur Dieu! Puisse mon péché m'être remis au jour du jugement! Alors que j'aurais dû la rouer de coups de bâton, figurez-vous que je lui ai cédé sur tous les points. Je vous assure que c'est vrai, sur ma foi. Je lui ai donné tout l'argent qu'elle voulait, tant j'avais peur de la voir partir et me laisser tout seul. Je le lui ai jeté à la figure sans le compter, cet argent qui avait été bien dur à gagner. L'argent! Elle le disséminait à tout vent comme de la mauvaise graine, cette espèce de démente; elle achetait des vêtements voyants et se pomponnait comme une fille des rues; elle se peignait les ongles et se couvrait le visage de poudre puante; dans sa chambre, elle avait une boîte à musique venue d'Angleterre; elle achetait toutes sortes de friandises pour la table; elle s'aspergeait d'huile parfumée qu'on sentait à dix pas, comme ces bouffées qui vous parviennent à l'automne d'un troupeau de chèvres en rut. Oh! Seigneur! Le pire de tout, c'est quand elle a commencé à sortir en automobile avec toutes les fripouilles du comté pour aller danser. Ah! je peux vous dire que le spectacle qu'elle offrait aurait arraché des larmes à une pierre; cette jeune fille ravissante et pudique, qui était un modèle de piété avant que les immondes images venues d'Amérique ne l'aient entraînée dans la voie du péché. Pour finir, elle s'est mise à boire. Jamais je n'oublierai le soir où elle est revenue à la maison en voiture et où elle ne tenait même pas debout. Quand je suis descendu en chemise ouvrir la porte, deux hommes la soutenaient et ils avaient le plus grand mal à l'empêcher de tomber. Ils titubaient devant la porte, tous les trois, avec Kate au milieu, chantant à tue-tête. Tout le long de la rue, dans les deux directions, les gens passaient la tête à leurs fenêtres. Oh! quelle honte épouvantable! Quand ils m'ont vu en chemise, ces trois saoulots ont hurlé de rire. Ils se sont mis à montrer mes jambes du doigt, en se tenant les côtes. Et j'étais là, moi, pour sûr, à trois heures du matin, debout sur le seuil de ma porte, quasi nu, avec toute la ville ou peu s'en faut qui me regardait. Bon Dieu! C'en était trop. Toute la ville qui me voyait nu! Nu! Sans rien d'autre qu'une petite chemise à peine assez longue pour... Oh, bon Dieu! C'en était trop. Qu'elle soit là devant moi, ivre, c'était déjà affreux, mais que moi je sois nu, c'était pire. Nu! On aurait même pu dire que j'étais nu comme un ver. J'étais plus nu que nu, tandis que j'essayais de me couvrir de mes deux pauvres mains. Alors, je l'ai maudite, séance tenante. Maudite, oui, et je lui ai fermé la porte au nez en criant que je ne voulais plus jamais la revoir. Et depuis, je n'ai plus posé les yeux sur elle. Quelques jours plus tard, une parente est venue chercher ses vêtements. Je les lui ai remis, avec la moitié de l'argent qui restait à la banque. Puis elle est partie pour l'Angleterre où elle est restée quelque temps, jusqu'à ce que Nora la fasse venir en Amérique. Et c'est là qu'elle se trouve, à présent, là-bas en Amérique, à des milliers de kilomètres, alors que je suis ici tout seul. Elle pourrait aussi bien être morte pour ce que ça me sert. Tout seul! Rongé par la solitude! Le cœur brisé! Oh! le diable a de quoi s'amuser maintenant, vous pouvez m'en croire, de quoi s'en donner à cœur joie. Et se vanter aussi du bon tour qu'il a joué à une adorable vierge qui était sans tache devant Dieu. Et maintenant, les cauchemars, c'est moi qui les ai, et le diable entre mes draps, se riant affreusement de moi dans les ténèbres. Il n'y a pas seulement quelqu'un pour m'entendre hurler, ou pour s'en soucier si l'on m'entendait. Nuit et jour, le diable chuchote à mon oreille, il se moque de moi et se vante, il me dit des horreurs que je ne veux pas comprendre; et il y a un grand vacarme, aussi, très loin, et des milliers de gens qui me menacent. Ils ont le poing levé et ils hurlent un gros mot, encore et encore, toujours le même, mais quant à savoir lequel... »

Il continua à parler ainsi, de manière décousue, pendant quelque temps encore, mais je n'y comprenais plus rien. Ses paroles n'avaient plus de sens. Sa voix, d'ailleurs, s'affaiblit comme une brise mourante jusqu'au moment où je n'entendis plus sortir de sa gorge que de pitoyables geignements. Puis il se tut brusquement.

« Il faut que je sorte d'ici, me dis-je. Je suis dans le confessionnal des déments. »

Néanmoins, je ne voulais pas m'en aller sans offrir quelques paroles de réconfort à cet homme si durement éprouvé.

« Écoutez, frère, lui dis-je, pourquoi ne pas vous mettre en rapport avec elle. Peut-être reviendrait-elle si vous le lui demandiez gentiment, avec tout l'amour dont votre cœur est plein. »

Il sortit la tête du cagibi et me contempla en silence un court instant. Il y avait à présent une sombre sagesse dans ses beaux yeux, ainsi qu'une résignation beaucoup plus terrifiante que son récent accès de rage.

« Vous parlez de Kate? demanda-t-il enfin.

— Oui, dis-je. Vous devriez lui écrire pour la prier de revenir à la maison.

— Elle s'est mariée il y a six mois », répondit-il doucement.

Grand Dieu! J'ai rarement vu une physionomie plus désolée.

« Vraiment? » dis-je.

Il passa devant moi sans répondre, marchant lentement de l'autre côté du comptoir, sur la pointe des pieds, le visage détourné, les mains jointes devant son nombril, comme un homme qui prie. Après avoir franchi la porte ouverte menant à la cuisine, il se retourna et me dévisagea du fond de l'obscurité.

Je frissonnai de nouveau en apercevant sa figure jaune suspendue, semblait-il, dans les ténèbres.

Mais cette fois, ce fut de pitié que je frémis ainsi et non de peur.

Patsa ou la ventrée d'or

Un vieux bonhomme du nom de Patsa vivait dans notre région. Sans doute avait-il été un jour jeune et innocent, mais dans mes souvenirs en tout cas, il avait toujours été âgé, ridé et une parfaite crapule. Tous les vices, toutes les perversions qu'a pu accumuler notre antique communauté à travers les siècles s'incarnaient dans sa carcasse puante. Et pour cette raison il était grandement craint et respecté. Il était aussi légendaire.

Grand, efflanqué, il ne possédait plus qu'une dent jaune fichée dans sa mâchoire supérieure. Laquelle dent était célèbre au point que les gens disaient chaque fois qu'il y avait un vol : « Patsa a tout vu, avec sa dent qui branle. » Car Patsa, étant le plus rusé des coquins, affichait immanquablement un sourire d'idiot, ouvrant toute grande la bouche pour montrer ses gencives nues et sa langue qu'il dardait contre la dent solitaire, la faisant osciller de part et d'autre comme le crochet d'un serpent.

Ses yeux, petits et verts, disparaissaient presque sous d'énormes sourcils blancs. Ses cheveux jadis neigeux prirent ensuite une nuance jaune sale sous l'effet de la sécheresse. Le corps de Patsa devint trop ladre pour nourrir ses propres cheveux du fait que Patsa lui-même était trop ladre pour nourrir son corps. La peau de son visage était jaune, elle aussi, sans une once de chair entre elle et les os. Les oreilles de Patsa, noires de crasse, étaient ridées comme le ventre d'une vieille truie. Elles étaient la principale source de l'odeur nauséabonde que Patsa diffusait toujours autour de lui. Un chancre lui avait rongé le haut du nez, ne laissant qu'un moignon qui ne pouvait sûrement lui être d'aucune utilité pour sentir. Les beaux esprits de la région assuraient que c'était à force de renifler son propre fumet que Patsa avait perdu son nez.

Il portait invariablement un large béret bleu à pompon, une écharpe en laine jaune, des chaussures en peau non traitée et un costume de ratine blanche. En règle générale, ses vêtements étaient constellés de taches laissées par des cendres rouges et par d'autres excréments peu ragoûtants. Patsa ne faisait aucun bruit en marchant. Il se tenait toujours très droit, les mains dans les poches de son gilet. Chaque fois que quelqu'un lui adressait la parole, il le dévisageait comme un crétin pendant un long moment, en faisant branler sa dent. Puis, s'il n'avait rien à gagner en adressant la parole à cette personne, il disait : « Bonjour ! » et s'éloignait. S'il espérait en tirer quelque chose, il entamait une conversation : « Tiens, tiens ! Par la croix du Christ ! Que la fièvre porcine me dévore si je mens d'un mot en vous racontant ce que je vais vous raconter. » Il ne disait jamais un mot de vrai.

Il n'avait pas un atome de vergogne. Bien qu'il n'eût ni terre à cultiver, ni aucun métier que l'on pût considérer comme honorable, il refusait de pêcher, mais allait mendier auprès du pêcheur qui finissait par lui faire quelque aumône afin de se débarrasser de son odeur. Il soutirait de l'argent aux étrangers en accomplissant de basses besognes. Par exemple, il avait un contrat en bonne et due forme pour l'entretien de toutes les toilettes de la région. À cette époque-là, sur un total de deux cents demeures, il y avait huit toilettes. Il se chargeait aussi volontiers d'enterrer les carcasses décomposées que découvrait l'employé des services d'hygiène. C'était un as de la castration, qu'il pratiquait au tarif immuable d'un penny la paire de testicules. Il en retirait un tel plaisir qu'il faisait subir l'opération gratis aux animaux presque sans valeur tels que les boucs. Ceux-ci le fascinaient tout spécialement. On raconte qu'une veuve le pria un jour d'en abattre un particulièrement malodorant et qu'il lui fit cadeau de ses services à condition qu'elle l'autorisât à se servir d'une hachette. Après quoi il commença à taillader la brute puante, et il la mit littéralement en pièces, environné par une foule qui hurlait de joie en voyant le bouc, attaché à une pierre par une longe, faire des bonds pour échapper aux coups, éclaboussant le sol de son sang chaque fois qu'il secouait la tête.

Patsa était d'une habileté rare quand il s'agissait de soutirer de l'argent aux inconnus. À cette époque, un grand nombre de visiteurs déferlait sur notre île. Elle venait tout juste d'être découverte par la nouvelle école du mysticisme européen et passait pour la principale réserve de dieux et de fées du Crépuscule celte. Ce fut en exploitant ces mystiques que Patsa acquit les souverains d'or qui sont le sujet de l'histoire que voici.

Chaque fois que le vapeur arrivait de la ville, Patsa se tenait au bout de la jetée, dans son costume blanc douteux, droit comme un I, immobile, les mains dans les poches de son gilet, avec son écharpe jaune et son grand béret, dressant ses oreilles répugnantes, tandis que ses yeux verts allaient et venaient sournoisement sous l'épaisse toison de ses sourcils blancs, comme les yeux d'un labbe parasite, la bouche ouverte et la langue titillant son unique dent jaunâtre. Personne ne lui échappait. Il était impossible de résister à ses avances. Il possédait ce magnétisme que l'on reconnaît aux grandes putains et aux fous qui se prennent pour des dieux. Il ne suivait aucune méthode particulière dans ses travaux d'approche. Quelquefois, il se précipitait pour empoigner le bagage d'un arrivant qu'il escortait jusqu'à l'hôtel et, chemin faisant, il s'imposait à lui en qualité de guide, de porteur, de conteur d'histoires ou d'entremetteur. Auprès d'un autre, il posait au pêcheur, fier et pittoresque, toujours sur son quant-à-soi, un homme à peindre ou à secourir pour des raisons humanitaires et mystiques. Parfois aussi, il se transformait en bouffon et on le voyait même danser et feindre la folie. Ou bien, il se ruait sur une victime et se mettait à mendier avec la plus grande véhémence, montrant les fausses cicatrices dont son corps était orné, comme un paria de l'ancien Orient. En d'autres occasions, il suivait les touristes à la trace, leur apparaissant dans les endroits solitaires, près d'antiques forteresses, parmi les ruines de vieilles églises, appuyé aux pierres levées des païens de la préhistoire, auxquelles on prêtait des associations occultes. Là, d'une voix sépulcrale, il racontait à des poètes, des érudits, des dramaturges aujourd'hui célèbres, la plupart des légendes et des contes populaires mystiques qui se sont répandus en Irlande et même en Europe au cours des vingt dernières années et qui ont trait au Crépuscule celte.

Patsa, avec ses oreilles répugnantes et son nez mutilé par le chancre, était capable des pires bassesses pour gagner un souverain, voire une simple pièce de six pence. On disait même qu'il avait essayé de vendre ses propres puces à un noble anglais qui fait collection de puces du monde entier, lorsque celui-ci était arrivé parmi nous, en quête d'un spécimen rarissime censé habiter notre région.

Si j'ai insisté sur sa ruse, c'est pour donner un relief particulier à la façon dont il finit par être berné par sa propre épouse, Nuala, que nous prenions tous pour une demeurée. Nuala était petite, ronde et dodue malgré son grand âge. Elle quittait rarement la cour de sa maison. Dès qu'elle apercevait quelqu'un, elle courait se réfugier chez elle de sa démarche chaloupée qui la faisait ressembler à une pierre de forme irrégulière dévalant lentement une colline. Jamais elle n'eut le moindre enfant. Elle était réputée pour l'étonnante faculté qu'elle avait d'éructer à volonté. D'ailleurs, bien souvent les jeunes chenapans lui criaient : « Fais-nous donc un rot, Nuala. »

L'abominable Patsa n'hésitait pas à exploiter cet étrange talent de sa femme pour son propre plaisir. Au cours des longues soirées d'hiver, il s'amusait à la faire agenouiller devant l'âtre, les coudes appuyés par terre. Puis il la fouettait avec une badine de saule, ce qui la faisait éructer avec une grande violence. Les jeunes vauriens du voisinage avaient coutume de se faufiler sous la fenêtre de Patsa et de s'y pelotonner afin d'écouter cet extraordinaire récital. Un soir, cependant, un jeune drôle voulut non seulement entendre mais voir et il apporta une lampe dont il se servit pour illuminer la pièce. Nuala crut qu'il s'agissait de la foudre et s'évanouit, persuadée que Dieu la punissait de son indécence. À dater de ce soir-là, jamais plus elle ne laissa son mari la fouetter à seule fin de la faire éructer.

Voyant que sa femme refusait de le satisfaire sur ce point, Patsa redoubla de cruauté envers elle et toutes les formes de vie. Il s'avançait en catimini derrière Nuala et lui enfonçait une grosse aiguille dans le corps, aussi loin qu'elle voulait bien aller. Comme elle était myope, il s'amusait à tendre une corde en travers du sentier qui menait au puits. Il mettait du sel dans son thé au lieu de sucre, et il prit grand plaisir à faire exploser un paquet de poudre à fusil qu'il avait volé en le jetant dans le feu pendant qu'elle était penchée dessus. Il ne lui donnait jamais un sou pour acheter à manger, si bien qu'elle devait vivre de la charité des voisins.

Quant à lui, il passait son temps à inventer des méchancetés : il attachait des cordes autour des jambes des moutons, faisait dégringoler des murs, pissait dans les abreuvoirs, terrorisait les gens la nuit en provoquant des bruits étranges dans les endroits que l'on disait hantés. Il tailladait la toile des curraghs, mettait le feu aux meules de paille et exhibait ses parties honteuses devant les jeunes femmes.

Mais si grande était la peur qu'il inspirait que personne n'osait s'en prendre à lui.

Et puis soudain, dans sa soixante-dix-neuvième année, Patsa tomba gravement malade et s'alita. La cause de son mal était inconnue, mais on le disait dû à l'ingestion d'aliments en conserve rejetés sur la côte à la suite du naufrage d'un navire américain. La chose est assez plausible, car il se retrouva presque paralysé et les deux conduits bouchés, si bien qu'on le jugea condamné. Tout ce qu'il mangeait formait une boule dans son estomac et le médecin ne parvenait pas à le soulager. Il lui annonça enfin qu'il n'avait plus que quelques heures à vivre et lui conseilla d'envoyer chercher le prêtre afin de confesser ses péchés et de recevoir l'extrême-onction.

Lorsqu'on apprit que le médecin avait ordonné à Nuala d'aller quérir le prêtre, les voisins accoururent.

Enchantés, bien entendu, de se dire que le bon Dieu allait enfin les délivrer d'un tel monstre, mais éprouvant en même temps une sorte de respectueux effroi à l'idée de perdre une aussi forte personnalité.

La maison offrait un spectacle extraordinaire. Du dehors, avec ses murs de pierre presque vierges de mortier, son toit de chaume aussi creux que le dos d'un vieux cheval errant et sa porte en bois nu fermée par un morceau de ficelle, on aurait dit une grange désaffectée. À l'intérieur, on avait l'impression que stagnaient dans les deux pièces toutes les odeurs que Patsa avait rapportées sur sa personne de ses ignobles occupations. Le sol en terre battue était constellé de grands trous. Dans un coin germaient de vieilles pommes de terre dressant leurs longs filaments blancs et malsains. Une montagne de cendres encombrait l'âtre. Du toit en terre et des poutres en bois pendaient d'étonnants labyrinthes construits par les araignées dont les toiles servaient de linceul à une multitude d'énormes mouches, de scarabées et d'insectes étranges. La pluie qui s'infiltrait par la toiture avait teint les murs de toutes les couleurs. Dans la chambre à coucher, Patsa était installé sur un lit répugnant et l'on apercevait, dans un coin, un grabat où Nuala était reléguée depuis que son mari était malade. Patsa, gisant à plat dos, le béret sur la tête et l'écharpe jaune autour du cou, le visage plus cireux que du cuir tanné, avait l'air d'un démon. Ce qui n'empêchait pas les gens de venir le réconforter et tâcher de le préparer au trépas, comme le veut la coutume. Car les fondateurs de la race assurent qu'il n'y a pas jusqu'à l'âme immortelle d'un chien agonisant qui ne soit sauvée par une caresse sur le museau et un mot gentil glissé à l'oreille.

Donc, ils l'exhortaient, lui expliquant que Dieu était bon, que Jésus-Christ avait été crucifié, que le chemin du paradis était pavé avec les ailes des anges et que les âmes le foulaient portées par un cheval blanc capable d'en remontrer au vent le plus rapide dans l'art de tresser les cordes en paille. Mais Patsa leur prêtait si peu d'attention qu'ils auraient aussi bien pu être des catins murmurant à l'oreille d'un eunuque.

« Hé! lança Patsa. Par la croix du Christ! Quand des voisins sournois viennent entourer un lit de mort, ils ont des yeux de corneille et leur unique désir est de piller les jardins d'Éden. Mais n'ayez crainte. Mon trésor est bien caché et je le compterai au ciel en compagnie des saints. »

Alors ils lui dirent qu'il lui fallait à présent faire sa paix avec Dieu et avec sa femme. En présence du prêtre, déclarèrent-ils, il était séant d'assurer les vieux jours de la malheureuse grâce à l'argent qu'il avait pu mettre de côté, afin d'épargner à ses vieilles jambes flétries le besoin de s'en aller mendier de porte en porte. Et d'ajouter qu'il avait dû économiser un nombre étonnant de pennies, car chacun savait que les gens distingués se montraient généreux lorsqu'il s'agissait de faire nettoyer et passer à la chaux leurs cabinets d'aisance, sans compter que de nombreux étrangers lui avaient payé à coups de souverain les histoires qu'il racontait.

Mais Patsa se contenta de répondre :

« Hé! Pourquoi que je lui laisserais un sou, à cette mégère inféconde? Elle m'a empoisonné, au point que j'ai pas pu évacuer un bouton depuis huit jours. »

Les voisins passèrent alors dans la cuisine où ils s'assirent autour de Nuala qui pleurait. Le prêtre arriva, mais Patsa ferma les yeux et les lèvres.

« Fais ta paix avec Dieu et avec ta femme », ordonna le prêtre.

Patsa ne dit rien. Ce que voyant, le prêtre lui administra l'extrême-onction et repartit. Les voisins sortirent à leur tour. Alors Patsa appela sa femme. « Écoute donc, dit-il. Fais ce que je vais te dire, si tu veux pas que je te maudisse sur mon lit de mort. Apporte-moi une casserole de bouillie.

— J'ai pas de gruau pour la faire, dit-elle. Donne-moi de l'argent que j'aille en chercher.

— Va le mendier, dit-il. Et plus vite que ça, sinon tu recevras la malédiction d'un mourant. »

Elle partit quémander du gruau à une voisine. Puis elle fit la bouillie et l'apporta à son mari dans une casserole. Elle resta debout à côté du lit pour le regarder manger.

« Sors d'ici, ordonna-t-il, et ferme la porte derrière toi. »

Nuala sortit, tirant la porte derrière elle. Elle était assise depuis un long moment au coin du feu, lorsqu'elle entendit un gémissement affreux, puis un autre, puis un bruit rauque comme fait un homme qui cherche à vomir. Elle courut dans la chambre.

« C'est'y que t'es en train de t'étouffer ? » demanda-t-elle.

Patsa ne pouvait plus parler. Il avait la figure bleue, les deux mains crispées sur son ventre. La casserole était posée sur un tabouret à côté du lit. Elle la saisit et regarda dedans. Au même instant, la casserole bascula d'un côté et quelque chose tinta contre le bord au milieu des restes de bouillie qui se trouvaient au fond.

« Bon Dieu ! s'exclama-t-elle. Ce serait'y sa vieille dent jaune qui serait tombée dans la bouillie ? Il doit être quasi mort, pour sûr. »

Elle repartit dans la cuisine de son pas traînant, avec la casserole, et vida le restant de bouillie sur une assiette. Alors elle poussa un cri. Il y avait deux souverains d'or dans le gruau. Elle courut dans la chambre et contempla Patsa. Elle remarqua alors que son écharpe jaune n'était plus autour de son cou, mais gisait sur le lit. Elle s'en empara, l'approcha de ses yeux et apprit alors ce qu'elle avait cherché à découvrir depuis tant d'années, en fouinant partout dans la maison. C'était dans l'écharpe qu'il avait caché son magot. Celle-ci était à présent déchirée en de multiples endroits et Nuala distinguait les petites marques rondes laissées par les souverains.

Alors, comprenant que Patsa avait avalé son or afin de l'emporter avec lui dans la tombe, cette femme fruste et stupide devint aussi cruelle et rusée qu'une belette. Il la regardait, avec une curieuse expression de joie au fond de ses petits yeux verts, malgré la douleur. Il savourait cette ultime perversion : sentir sa panse remplie d'or. Il ouvrit la bouche et fit branler sa dent jaune au nez de sa femme.

Elle poussa un cri sauvage et sortit en courant de la maison, aussi vite que ses vieilles jambes pouvaient la porter. Elle arriva chez une de ses voisines, se planta au milieu de la pièce et s'écria hors d'haleine :

« Pour l'amour de la Vierge, mère de Dieu, donne-moi l'huile que t'as achetée pour ta vache malade, faut que je vide les boyaux de ce vieux bandit avant que le diable l'emporte, sans quoi me voilà réduite à la mendicité.

— Saperlotte, qu'as-tu donc, la femme ? répondit la voisine.

— Donne-moi le flacon d'huile de ricin, dit Nuala, et je ferai pieds nus le tour des sept temples romains en priant pour les âmes de tes ancêtres.

— Jésus, Marie ! s'exclama la voisine. Il t'a ensorcelée. T'es t'y donc devenue folle ? Enfin, tu vas quand même pas lui administrer cette dose qu'est plus forte que cette dynamite qu'ils ont pour faire sauter les carrières ? Laisse-le mourir en paix.

— Par tous les feux de l'enfer, dit Nuala, il mourra en paix, ça oui, mais il mourra le ventre vide, même si je dois l'ouvrir en deux avec mon couteau à patelles. Et je lui aurai fait cracher son or avant le coucher du soleil. »

Elle raconta alors à la voisine ce qu'avait fait Patsa, et aussitôt celle-ci lui donna le demi-litre d'huile de ricin, ajoutant pour faire bonne mesure une potion plus puissante encore à base de jus de patelles et d'algues marines. Elles mélangèrent les deux et s'en retournèrent au chevet de Patsa.

Quand il les vit entrer, apportant l'horrible mixture dans un récipient muni d'un bec, il comprit leur intention et fit un effort pour se soulever et défendre son or. Mais elles le plaquèrent sur le lit et le rudoyèrent en glapissant :

« Ouvre ta gueule à présent pour qu'on te purge, monstre de débauche.

— Gare, bonhomme, fais pas un bruit, sans quoi on te coupe ton instrument avec un rasoir émoussé.

— Ouais ! » crièrent-elles en chœur, à d'innombrables reprises, terrifiant le mourant dont les yeux et les oreilles ne perdaient rien des expressions démoniaques de leurs physionomies et des menaces qui sortaient de leurs bouches.

Il se tint donc tranquille et se laissa pincer les narines, desserrer de force les mâchoires et verser au fond du gosier le contenu du récipient. Après quoi elles lui assenèrent de grandes claques sur le ventre, le roulèrent en tous sens et le bousculèrent par devant et par derrière jusqu'à ce qu'il se mît à gronder comme la cargaison d'un navire désarrimée au cours d'une tempête. Alors elles le sortirent du lit, l'assirent sur le pot et il commença à se vider.

« Hé ! hé ! fit Nuala. J'ai bien su le droguer.

L'entends-tu donc, à cette heure? Il joue de son tambour comme une génisse qui vient de brouter l'herbe nouvelle. Vas-y, fais ton boulot à présent, vilain diable, et j'espère bien que le fondement va t'en tomber.

— Ouille! Ouille! Ouille! brailla Patsa. Pitié de moi, pitié.

— Au diable la pitié, glapit Nuala en lui assenant une violente claque entre les omoplates. Recrache-les jusqu'au dernier sinon je t'éventre du nombril au gosier.

— Ouille! reprit Patsa qui recouvrait la parole à mesure qu'il se vidait. Les Juifs ont cloué notre Seigneur Jésus-Christ sur la Croix, mais au moins ils lui ont pas arraché son dernier soupir à coups de purge, eux.

— Écoute-le donc blasphémer! s'écria Nuala. Par le Christ! tu m'as assez fait tourner les sangs et le cœur avec tes malédictions, mais je m'en soucie comme d'une guigne à présent, je me moque de toi et de tes malédictions. »

Patsa entonna aussitôt une longue litanie pour la maudire. Mais dès que ses entrailles furent dégagées, les deux femmes le rejetèrent sur le lit, sans lui prêter la moindre attention. Puis elles emportèrent le pot en jubilant.

Elles récupérèrent l'or et avant la tombée de la nuit tout le voisinage était au courant de leur exploit, car Nuala et son acolyte n'eurent rien de plus pressé que d'aller s'enivrer, puis de regagner la maison avec un flacon de whiskey. D'autres amis vinrent les rejoindre et tout au long de la nuit on fit trembler les poutres du plafond en braillant des chansons infâmes, tandis que Patsa se tordait de douleur sur son lit, en les écoutant.

Un peu après minuit, il entendit sa femme commencer, dans sa joyeuse ivresse, un récital destiné à faire briller son talent bien particulier afin de distraire la compagnie. Patsa poussa un grand hurlement de rage et expira.

L'épreuve du courage

Au coucher du soleil, par un soir d'été, Michael O'Hara et Peter Cooke quittèrent leur village dans le plus grand secret. Pliés en deux derrière les clôtures, ils décrivirent un vaste circuit avant de gagner à toutes jambes une petite crique environnée de rochers qui se trouvait à un mile vers le sud-ouest. Ils tenaient leur casquette à la main et l'excitation leur coupait le souffle. Ils étaient sur le point de mettre à exécution un projet aventureux qu'ils préparaient depuis des semaines. Ils allaient emprunter le bateau de Jimmy le tisserand afin de sortir passer la nuit sur l'eau à pêcher la brème.

Michael O'Hara avait douze ans et quatre mois, soit cinq mois de moins que son camarade. Il avait les yeux d'un bleu profond, brillants d'intelligence, et une courte chevelure blonde hérissée. Il paraissait mince et plutôt délicat dans son chandail bleu et son pantalon de flanelle grise qui ne lui descendait qu'à mi-mollet. Il était pieds nus. Bien que ce fût lui qui eût conçu et mis au point toute cette équipée, comme toutes celles où il entraînait son camarade, il était à présent largement distancé dans la course vers la crique. D'abord parce qu'il courait moins vite, mais aussi parce qu'il était en proie à une réaction nerveuse à l'idée de se lancer dans une expédition qui causerait de graves inquiétudes à ses parents.

Ayant atteint le grand monticule de rochers qui bordait l'entrée de la crique, Peter Cooke jeta un ·egard en arrière. Il s'arrêta, les sourcils froncés, en voyant son compagnon si loin derrière lui. Son corps robuste paraissait éclater dans ses vêtements, identiques à ceux que portait O'Hara. Il avait les cheveux noirs et bouclés, le visage constellé de taches de rousseur, la lourde mâchoire et le nez épais d'un bagarreur. Ses petits yeux gris, très rapprochés, ne reflétaient pas cette intelligence qu'on lisait dans ceux de Michael O'Hara.

« Grouille-toi, lança-t-il dans un chuchotis sonore dès que Michael se rapprocha. Qu'est-ce que t'as ? T'es déjà fatigué ? »

Michael regarda furtivement par-dessus son épaule.

« J'ai cru voir quelqu'un, dit-il d'un ton inquiet.

— Qui ça ? demanda Peter. Qui tu as vu ?

— Là-bas », dit Michael.

Du doigt, il indiqua le nord, en direction du village désormais à demi caché derrière le terrain qu'ils venaient de franchir. Seuls les toits de chaume et les cheminées fumantes étaient visibles. Dans la paix crépusculaire, la fumée s'élevait tout droit des cheminées. À l'ouest du village courait un sentier bordé par une clôture basse, laquelle se détachait contre l'horizon délavé comme un rideau percé de trous irréguliers.

« Je crois bien que c'était ma mère que j'ai vue revenir de traire la vache le long du chemin, déclara Michael d'une voix teintée de regret. J'ai vu que sa tête par-dessus la clôture, mais on aurait bien dit son châle.

Remarque, je crois pas qu'elle m'a vu. Et même si elle m'a vu, elle pouvait pas savoir qui j'étais.

— Allez, viens, dit Peter. Elle a pas pu te voir de si loin. Faut qu'on se grouille, sans quoi il fera nuit avant qu'on ait pu mettre le curragh à l'eau. »

Agiles comme des chèvres, les deux garçons dévalèrent le monticule de blocs de granit et filèrent sur la plate étendue de calcaire gris qui allait jusqu'à la ligne de marée haute. Puis ils pénétrèrent dans une grotte au-dessous d'une falaise peu élevée en bordure du rivage et descendirent jusqu'au bord de l'eau tout le matériel qu'ils y avaient caché, le déposant à l'endroit où ils devaient mettre le bateau à l'eau.

« Tu crois qu'on va avoir la force de le porter jusque là, Peter? » demanda Michael, tandis qu'ils escaladaient en courant le monticule de rochers pour aller chercher le curragh.

Peter s'arrêta net et dévisagea son camarade. La nervosité qui perçait dans la voix de Michael l'irritait.

« C'est'y que tu commences à avoir la trouille? demanda-t-il rudement.

— Qui? Moi? s'indigna l'autre.

— Parce que dans ce cas-là, continua Peter, t'as qu'à le dire et on rentre à la maison. Moi, je veux pas sortir avec toi si tu dois te mettre à pleurnicher.

— Qui c'est qui pleurniche? riposta Michael. J'ai juste demandé si on aurait la force de porter la barque jusqu'au rocher. Y a du mal à ça?

— Allez, viens, dit Peter, et cesse donc de dire des âneries. Tu sais bien qu'on s'est glissés dessous quatre fois pour voir si on était capables de la soulever. Et on l'a soulevée, non? Si on est capables de la soulever, on est capables de la porter. Jimmy le tisserand, il arrive à la porter tout seul sur son dos et pourtant il est vieux. Il est même tellement vieux et faiblard que pas un de nos équipages accepterait de l'emmener pêcher. Y aurait de quoi avoir honte si à nous deux on n'était pas aussi forts que Jimmy le tisserand.

— Pourvu qu'il nous jette pas un sort quand il s'apercevra qu'on a pris son curragh, dit Michael chemin faisant. C'est qu'il vous jette des sorts comme un rien quand il est en colère. Je l'ai vu tomber à genoux quand on a volé deux œufs de sous son oie pendant qu'elle couvait. Il a remonté les jambes de son pantalon et jeté un sort au voleur sur la peau nue de ses genoux.

— Il serait rudement ingrat s'il nous jetait un sort après tout ce qu'on a fait pour lui au cours de la semaine écoulée, déclara Peter. Quatre fois qu'on a été lui chercher de l'eau au puits. Et puis on a ramassé deux fois des patates dans son petit jardin et on lui a filé un lapin qu'on avait pris au collet. Le village entier irait lancer des pierres contre sa maison s'il nous jetait un sort après qu'on a fait tout ça pour lui. »

D'ordinaire, tous les bateaux du village étaient entreposés sur l'étendue plate derrière le monticule de granit. Il y avait un petit muret de pierres sèches autour de chaque embarcation, afin de la protéger des forts vents du sud qui soufflaient parfois de l'Océan. Pour le moment, seul le curragh du tisserand se trouvait encore dans son enclos, la quille en l'air derrière son muret protecteur, les barres d'arcasse calées sur des pierres afin de l'isoler du sol. Tous les autres enclos étaient vides, car la saison de la brème battait son plein et tous les hommes étaient en mer.

« Allez, au boulot, dit Peter quand ils arrivèrent auprès du bateau. Soulève l'avant. »

Ils se placèrent de part et d'autre de la proue qu'ils soulevèrent sans difficulté.

« Maintenant glisse-toi dessous et installe-toi bien », ordonna Peter.

Michael s'accroupit et se faufila sous le curragh, tourné vers la poupe. Il appuya ses épaules contre le banc avant et cala ses coudes contre le châssis. Bien qu'ils se fussent entraînés à soulever l'embarcation, il se mit soudain à trembler de peur de s'effondrer sous le poids quand Peter soulèverait l'arrière.

« Garde les jambes bien écartées, recommanda son camarade, et reste souple, comme je t'ai dit.

— Je suis prêt, dit Michael avec nervosité. Vas-y, soulève. »

Peter mit sa casquette, la visière sur la nuque. Puis il se campa solidement sous la poupe du curragh, serra les dents et raidit son dos puissant. Ensuite, inspirant profondément, il fit un brusque effort. Il souleva le bateau et écarta aussitôt les jambes afin de répartir la charge. Les deux garçons titubèrent quelques instants en sentant peser sur leurs épaules tout le poids de la barque.

« T'es bien en équilibre ? demanda Peter.

— Vas-y », répondit Michael.

Peter marchait en tête, lentement, adoptant une allure chaloupée copiée sur celle de ses aînés. Il tenait le buste très raide au-dessus de ses hanches qui oscillaient chaque fois qu'il lançait souplement une jambe en avant, décrivant un arc de cercle. Quand son pied touchait le sol, il abaissait les hanches, puis les relevait en faisant glisser le poids sur l'autre pied.

Michael s'efforça d'imiter ce mouvement, mais il ne parvint pas à l'accomplir correctement en raison de sa nervosité. À l'exercice, il s'était montré aussi habile que Peter. Mais maintenant, il était obsédé par une image qui le troublait : il revoyait la tête de sa mère, emmitouflée dans son châle.

« Essaie de marcher au même rythme que moi, lui lança Peter, et te cramponne pas au châssis. Garde les épaules complètement souples.

— Je fais ce que je peux, répondit Michael, mais le bateau arrête pas de glisser sur mes épaules.

— C'est parce que tu crispes les mains dessus. Garde les épaules souples. »

Lorsqu'ils déposèrent enfin l'embarcation sur le rocher couvert d'algues au bord de l'eau, ils étaient tous les deux épuisés et durent se reposer un court instant. Puis ils poussèrent doucement le curragh dans l'eau sur l'épais tapis d'algues rouges. Il fallait faire très attention, car ce n'était qu'un léger châssis de fines lamelles de pin, recouvert de toile calfatée. Le moindre contact avec un éclat de pierre, ou même avec la coquille d'une patelle, aurait suffi à trouer l'embarcation. Fort heureusement, la mer était d'huile et ils parvinrent à mettre le curragh à l'eau sans incident.

« Et maintenant, au nom de Dieu, dit Peter en prenant une voix d'homme tandis qu'il trempait la main dans l'eau de mer avant de faire un signe de croix sur son front selon le rite, je vais monter à bord et mettre à flot. Tu me passeras le matériel quand j'aurai amené le bateau dos à la côte. »

Il s'installa sur le banc avant, sortit les avirons et plongea les manches dans l'eau avant de les glisser dans les tolets. Puis il fit tourner le bateau afin d'amener l'arrière vers les rochers. Michael lança à bord le matériel, parmi lequel figurait une boîte de patelles qui devaient servir d'appât, quatre lignes enroulées sur des petites plaques de bois, une demi-miche de pain enveloppée dans un torchon, et le filin d'ancrage auquel était accroché un lourd pavé de granit. Puis il plongea à son tour la main dans l'eau salée et fit un signe de croix sur son front.

« Au nom de Dieu, dit-il avec révérence en posant un genou à l'arrière du curragh et en repoussant le rocher du pied, en route vers le large. »

Tandis que Peter se mettait à ramer, Michael s'assit sur le tableau arrière et sortit ses avirons. Il trempa les manches dans l'eau et glissa chaque rame dans son tolet. « Face à terre, main droite dessous, lança Peter, exactement comme un capitaine donnant ses ordres à son équipage.

— Je te suis, dit Michael, droit vers le large. »

Les deux garçons ramaient bien, restant parfaitement synchronisés. Ils eurent bientôt franchi l'entrée de la petite anse pour se retrouver en haute mer. La nuit tombait, mais ils distinguaient la masse noire des bateaux du village agglutinés sous une haute falaise à l'ouest. Ils partirent vers l'est.

« À présent prends un repère et garde le cap », dit Peter.

Michael aligna sur la proue deux points de la côte déjà floue et ils se mirent à ramer vers l'est jusqu'à ce qu'ils fussent à la hauteur d'un immense amas de rochers qui s'étaient éboulés de la falaise. Arrivés là, ils jetèrent la pierre qui servait d'ancre. Une fois qu'ils eurent attaché le filin à la proue, le curragh tourna sur lui-même et s'immobilisa sur l'eau calme.

« Oh ! diable de diable ! s'écria Peter surexcité. Et maintenant, on sort les lignes et on pêche. Qu'est-ce que ce serait chouette d'attraper assez de brèmes pour remplir le bateau. On causerait plus que de nous dans la paroisse.

— C'est peut-être bien ce qui va se passer », rétorqua Michael, tout aussi euphorique.

Il n'était plus troublé désormais par le souvenir de sa mère drapée dans son châle. Et il n'avait pas peur non plus de se trouver dans une pareille situation, dehors, la nuit, sur l'eau traîtresse, à bord d'un frêle curragh. La folle exaltation d'une vie d'aventure s'était emparée de lui.

Ils mirent tant de hâte à accrocher leurs appâts et à dérouler leurs lignes qu'ils faillirent se percer les mains avec les hameçons. Chacun déroula deux lignes, une de chaque côté du bateau. Ils avaient mouillé au beau milieu d'un banc de brèmes. Peter fut le premier à jeter ses lignes à l'eau. À peine s'étaient-elles enfoncées que le poisson mordit de chaque côté.

« Ah! diable de diable! s'écria-t-il. J'en ai deux. »

Dans son énervement, il chercha à les remonter simultanément et perdit l'un et l'autre de ces poissons aux lèvres molles. Pendant ce temps, Michael lui aussi avait senti une prise au bout d'une de ses lignes. Il retint sa respiration et tira rapidement sur le fil. Un second poisson mordit tandis qu'il remontait la première ligne. Succombant lui aussi à la convoitise, il empoigna la deuxième ligne et laissa le premier poisson s'échapper. Mais il prit le second.

« Oh! Peter! lança-t-il. On va remplir le bateau, comme tu as dit. »

Il coinça habilement le poisson entre ses genoux et lui arracha l'hameçon de la bouche. Puis il le laissa choir dans le fond du curragh, où il commença à battre la charge à coups de queue.

« Ah! diable de diable! s'écria Peter. La mer en est pleine. »

Il avait remis ses deux lignes à l'eau et aussitôt deux poissons vinrent s'empaler sur les hameçons. Cette fois il les captura tous les deux, s'étant suffisamment calmé pour recouvrer son adresse coutumière.

« On aurait dû apporter davantage de patelles, dit Michael. Il nous en aurait fallu deux fois plus! »

Le poisson continua de mordre. Ils avaient beau en perdre une importante proportion, ils en avaient attrapé trente-six avant qu'un accident n'éloignât le bateau du banc de brèmes. Une légère brise s'était levée, soufflant de la terre. C'était à peine si elle faisait le moindre remous à la surface de l'eau, et pourtant le curragh chassa sur le filin d'ancrage qui le retenait. Celui-ci se tendit. Alors la pierre qui servait d'ancre glissa du bord d'un récif sur lequel elle s'était posée. Tombant dans une eau plus profonde, elle ne put trouver le fond. L'embarcation tourna sur elle-même et commença à dériver droit vers le large, poussée par la faible brise.

Absorbés par leur pêche, les deux garçons ne s'aperçurent de rien. Bientôt, cependant, le poisson cessa de mordre. Les brèmes n'avaient pas suivi le curragh dans les eaux plus profondes. Les lignes, inutiles, pendaient par-dessus le bastingage.

« Elles sont parties, constata Michael. Tu crois qu'il est temps de rentrer ?

— Non, on peut pas encore rentrer, protesta Peter. On n'a que trente-cinq poissons. Attendons qu'ils se remettent à mordre, au changement de marée. Et alors tu verras qu'on va remplir le bateau. De toute façon, on peut pas rentrer tant que la lune est pas levée. Pour le moment, il fait trop sombre pour contourner le récif.

— Ça pour faire sombre, il fait sombre, dit Michael à voix basse. Je vois même plus la terre, alors qu'elle est tout près. »

À présent que les brèmes n'étaient plus là, la vision de la tête maternelle encapuchonnée dans son châle revint tarauder sa conscience, et l'obscurité l'effrayait, comme toujours. Pourtant, il n'osa pas insister pour regagner la crique, de peur que Peter ne le prît pour un couard.

« Ils vont se remettre à mordre, assura Peter plein d'allant. Attends un peu, tu vas voir. On va remplir le bateau. À ce moment-là, la lune se sera levée et ce sera superbe de ramer jusqu'à la crique. T'imagines comme ils seront étonnés au village quand ils verront tous les poissons qu'on aura pris. On en rapportera tant qu'ils songeront même pas à nous enguirlander. »

Michael frémit en entendant son ami lui rappeler qu'il devrait affronter ses parents après cette escapade.

« J'ai faim, dit-il. Tu crois qu'on peut manger notre pain? C'est pas la peine d'en rapporter à la maison.

— Ouais, moi aussi j'ai faim, répondit Peter. Mangeons donc le pain pendant qu'on attend que la marée tourne. »

Ils divisèrent en deux leur moitié de miche et se mirent à dévorer à belles dents. Quand ils eurent fini, Michael avait froid et sommeil.

« On aurait dû apporter davantage de vêtements, dit-il. Y fait rudement froid en mer la nuit, tu trouves pas.

— Y a qu'à s'allonger à l'avant, dit Peter. Moi aussi, j'ai un peu froid. On va s'allonger ensemble à l'abri de la proue pendant qu'on attend le changement de marée. Comme ça on sentira plus le froid, on sera abrités. »

Ils s'allongèrent à l'avant, côte à côte. Il y avait juste assez de place pour leurs deux corps serrés l'un contre l'autre.

« C'est sûr qu'il fait bien plus chaud comme ça, dit Michael d'une voix endormie.

— C'est exactement comme d'être au lit, renchérit Peter. Ah, diable de diable ! quand je serai grand, je serai marin. Comme ça, toutes les nuits je pourrai dormir en mer. »

Ils s'endormirent presque aussitôt, s'étreignant dans leur sommeil. La lune se leva et sa mystérieuse lumière les éclaira, endormis au fond de l'étroite proue du curragh, doucement bercés par les mouvements de l'embarcation et le clapotis faible et musical des vagues. Le clair de lune illuminait les flancs sombres du bateau qui dérivait, poussé par la brise. Il faisait luire les lignes le long de ses flancs noirs, tels les tentacules d'un monstre malfaisant emportant les deux jeunes dormeurs bien loin sur l'Océan désert. Les poissons morts brillaient d'un éclat phosphorescent chaque fois que la barque s'inclinait vers l'astre nocturne.

Puis le clair de lune se ternit et la clarté de l'aube se diffusa sur la mer. Le soleil se leva à l'est et ses rayons se mirent à danser sur la toile noire. Michael fut le premier à s'éveiller. Lorsqu'il regarda autour de lui et découvrit leur situation, il poussa un cri de terreur. Ils étaient désormais très loin de la côte, qui n'était plus guère qu'un petit point sombre à l'horizon. Il empoigna la tête de Peter entre ses deux mains.

« Peter, réveille-toi, s'écria-t-il. Allez ! Réveille-toi. Il nous est arrivé quelque chose d'affreux. »

Se croyant chez lui, dans son lit, Peter s'efforça de repousser Michael pour se retourner de l'autre côté.

« C'est pas l'heure de se lever », marmonna-t-il.

Lorsqu'il eut enfin repris conscience et compris ce qui était arrivé, il se montra beaucoup plus effrayé que Michael.

« Ah ! diable de diable ! s'écria-t-il. On a chassé sur notre ancre. On est perdus. »

Il y avait dans ses petits yeux une lueur de panique et d'ignorance. Michael se mordit les lèvres afin de s'empêcher de crier. C'était pour lui un grand choc de s'apercevoir que Peter, qui avait toujours été le meneur et n'avait jamais auparavant manifesté la moindre peur, était à présent en proie à l'affolement.

« Mais non, on est pas perdus, riposta-t-il, furieux.

— Mais enfin, tu vois donc pas à quelle distance on est de la côte ? dit Peter. Tu vois donc pas ? »

Brusquement, Michael sentit qu'il n'avait plus du

tout envie de pleurer. Ses yeux prirent une expression dure et même cruelle.

« Lève-toi donc, tu veux ? lança-t-il vertement. Laisse-moi remonter le filin. »

Peter contempla son camarade d'un air bovin, tout en lui laissant le champ libre. Il s'assit sur le banc avant, pendant que Michael remontait le filin d'ancrage.

« Qu'est-ce qu'on peut faire ? dit-il. Si personne vient nous chercher, on est fichus. Jamais on pourra ramer aussi loin, surtout avec le vent dans le nez.

— Pourquoi tu m'aides pas à hisser le filin au lieu de pleurnicher ? » répondit Michael en colère.

Cette insulte sortant de la bouche d'un garçon qu'il avait jusque-là toujours dominé galvanisa Peter. Il foudroya l'autre du regard, se cracha dans les mains et se mit debout.

« Ôte-toi de là, dit-il d'un ton rogue. Laisse-moi m'assurer une bonne prise. Je vais te montrer moi si je pleurniche. »

Grâce à sa force supérieure, Peter eut tôt fait de remonter à l'avant du curragh la pierre qui servait d'ancre. Ensuite les deux garçons rentrèrent leurs lignes. Ils ne se donnèrent pas la peine de les enrouler sur leurs plaquettes, préférant les laisser en vrac au fond du bateau.

« Grouille-toi, ne cessait de répéter Peter. Faut qu'on se tire d'ici au plus vite. »

N'ayant pas encore décoléré après l'insulte que lui avait décochée Michael, il sortit ses avirons et tourna la proue de l'embarcation vers le petit point de terre que l'on apercevait à l'horizon. Michael lui aussi sortit ses rames.

« Main gauche par-dessus ! hurla Peter, et mets-y toute la gomme. Souque fort, mon gars. Souque.

— Vaut mieux y aller doucement, dit Michael. On a une grande distance à couvrir.

— Souque à fond, je te dis ! hurla Peter à tue-tête. Mets-y toutes tes forces, si t'en as encore. »

Dès qu'il sentit dans le creux de ses mains les avirons qui devaient lui permettre d'échapper au sort qu'il redoutait, Peter céda de nouveau à la panique. Il se mit à ramer comme un furieux, bondissant de son banc à chaque coup de pelle.

« Pourquoi tu gardes pas le rythme, lui cria Michael. Aligne-toi sur l'aviron arrière. Autrement, tu vas finir par te tuer, rien d'autre.

— Rame donc, vilain diable, et tiens ta langue, rétorqua Peter. Allonge ton mouvement et tu seras capable de tenir mon rythme.

— Mais c'est toi qui dois suivre le mien, protesta Michael. Il faut toujours s'aligner sur l'aviron arrière. »

Soudain Peter tira si fort sur sa rame qu'il dégringola de son banc de nage pour s'abattre dans le fond du curragh. Un de ses avirons jaillit de son tolet au moment où il perdait l'équilibre et tomba à l'eau, se mettant aussitôt à dériver vers l'arrière. Michael fit virer le bateau et repêcha l'aviron.

« Recommence pas, dit-il en le rendant à Peter. Écoute ce que je te dis et rame calmement. »

Peter plongea avec surprise son regard dans le regard cruel de son compagnon. Il était à présent entièrement sous sa domination.

« Ça sert à rien, Michael, dit-il d'un ton abattu. Tu vois bien que la terre est toujours aussi éloignée. C'est pas la peine d'essayer de ramer.

— On avancera si on rame tranquillement, répondit Michael. Allez, vas-y. Prends le rythme de l'aviron arrière. »

À présent qu'il s'était soumis à la volonté de son

camarade, Peter obéit et souqua au même rythme que lui. Le curragh commença à se rapprocher nettement de la côte.

« Ah, ça va mieux, dit Michael au bout d'un certain temps. Ils vont pas tarder à sortir nous chercher. Il suffit de continuer à ramer.

— Et où tu veux qu'ils aillent nous chercher? demanda Peter. Personne nous a vus quitter la crique, ça c'est sûr.

— Ils verront bien que le curragh a disparu, répondit Michael. Pourquoi t'es pas capable de réfléchir? Je te parie qu'ils sont déjà à notre recherche à l'heure qu'il est. Nous, on a qu'une chose à faire, ramer sans forcer.

— Et comment qu'ils vont nous voir? reprit Peter après un silence. C'est tout juste si on aperçoit la terre d'ici, et pourtant elle est gigantesque. Comment qu'ils pourraient voir notre curragh depuis la terre alors qu'il est pas plus gros qu'un dé à coudre sur l'eau? »

Soudain Michael éleva la voix et lança avec rage :

« C'est'y que tu veux qu'on se couche et qu'on laisse le bateau dériver jusqu'à ce qu'on meure de faim et de soif? Tais-toi donc et rame calmement. Tu vas juste t'épuiser à jacasser comme ça.

— T'as pas intérêt à me crier dessus, Michael O'Hara, riposta Peter. Tu ferais mieux de faire gaffe. Tu crois que j'ai peur de toi peut-être? »

Après quoi ils ramèrent en silence pendant plus de deux heures. Le bateau avançait de façon perceptible, et la côte, à l'horizon, devenait beaucoup plus distincte. Elle n'en finissait plus de surgir de l'Océan pour reprendre son aspect habituel. Soudain, Peter laissa tomber ses avirons et sa tête s'affaissa sur sa poitrine. Michael se porta à ses côtés.

« J'ai soif, dit Peter. Je meurs de soif. T'aperçois quelqu'un qui vient?

— Non, pas encore, Peter, dit doucement Michael. Mais faut qu'on garde notre courage. Ils vont venir, tu verras. Allonge-toi donc à l'avant un moment. Je vais te mettre ton chandail sur la figure pour te protéger du soleil. Comme ça, tu sentiras moins la soif. C'est mon père qui dit ça, je l'ai entendu. »

Il dut aider son ami à gagner l'avant, car celui-ci était complètement hébété par l'épuisement. Il lui ôta son chandail et le posa sur sa figure.

« Reste là un petit peu, dit-il, et moi je vais empêcher le curragh de dériver. Ensuite, tu pourras me remplacer. »

Il retourna à son banc et se remit à ramer. Il souffrait affreusement de la soif. Il commençait aussi à ressentir les premiers tiraillements de la faim. Pourtant, il éprouvait en même temps une exaltation qui le rendait insensible à cette torture. Depuis que son imagination s'était développée, il avait été tourmenté par la peur d'être incapable d'affronter le danger avec courage. Bien qu'il se portât délibérément au-devant de petits périls, afin de voir s'il pouvait les supporter sans broncher, il continuait à croire que la nervosité qui l'envahissait en de telles occasions était un signe de couardise et qu'il ne serait pas à la hauteur quand la véritable épreuve surviendrait.

Maintenant qu'elle était arrivée, cette mise à l'épreuve, il connaissait pour la première fois le sombre ravissement de la virilité plutôt que la peur. Ses yeux bleus n'étaient plus ni doux ni rêveurs. Ils reflétaient une lueur de noire cruauté, la calme arrogance du mâle au combat. Il avait l'esprit en paix, se sentant désormais délivré de l'ennemi qui avait rôdé au-dedans de lui. Il n'y avait pas jusqu'à la douleur au fond de ses entrailles et de son gosier desséché qui ne servît à exciter la volonté triomphante de sa virilité naissante. Alors que ses muscles las étaient à peine capables de coincer les avirons dans ses paumes parsemées d'ampoules, il n'en continuait pas moins à ramer de façon mécanique.

L'après-midi, lorsque les bateaux du village arrivèrent enfin à la rescousse, Michael était toujours assis sur son banc, s'efforçant faiblement de ramer. Il avait alors atteint un tel degré d'épuisement qu'il n'entendit même pas les secours avant d'être hélé par le rameur le plus proche. À cet appel, il tomba de son banc, évanoui.

Quand il reprit connaissance, il était à l'avant du curragh de son père. Ce dernier portait à ses lèvres une bouteille d'eau. Michael leva les yeux vers le visage buriné et sourit quand il vit qu'il ne reflétait pas de colère. Au contraire, il n'avait encore jamais lu une telle tendresse dans les yeux sévères de celui qui lui avait donné le jour.

« Ce serait'y que votre ancre a chassé ? » demanda son père.

Bien que sa lèvre supérieure frémît d'émotion, il parlait d'un ton désinvolte, comme à un camarade.

« Ce sont des choses qui arrivent aux meilleurs marins, continua le père pensivement après que Michael eut acquiescé. Dieu soit loué, personne s'en porte plus mal. »

Il fourra quelques vêtements sous la tête du garçon, lui octroya une brutale caresse et lui dit de dormir. Michael ferma les yeux. Dans un autre bateau, le père de Peter criait d'une voix coléreuse.

Une fois que son père et les autres hommes du bateau se furent mis à ramer, Michael rouvrit les yeux. Il contempla le dos musclé de son père qui souquait à l'avant. Une vague d'ardent amour le submergea, le laissant à la fois tendre et faible. Les larmes commencèrent à couler à flots de ses yeux, mais c'étaient des larmes de joie parce que son père l'avait regardé avec tendresse et lui avait parlé comme à un camarade.

Les étalons sauvages

Sur un monticule proche de la paroi septentrionale de sa haute vallée de montagne, l'étalon doré montait la garde auprès de son troupeau occupé à paître; sa crinière et sa queue paraissaient presque blanches dans la radieuse lumière de l'aube. Au milieu de son front, une petite étoile étincelait comme un joyau.

Son encolure épaisse et rigide près du garrot, ainsi que les nombreuses cicatrices laissées par d'anciennes batailles sur son pelage luisant, indiquaient qu'il n'était plus de la première jeunesse. Néanmoins, la posture droite et noble de son corps musclé et compact prouvait qu'il possédait encore beaucoup de force, d'énergie et de courage indomptable.

Tournant vers le sud un regard intense, il dressa ses petites oreilles et dilata les naseaux, s'efforçant vainement de distinguer la nature exacte de l'odeur menaçante qu'apportait la brise légère et intermittente.

Là, en contrebas, son domaine se terminait par un col raide et étroit, serpentant entre des parois vertigineuses en direction des vastes plaines des basses terres désertiques. Tel un rideau tiré, le pâle linceul de la nuit couvrait encore la spacieuse entrée du défilé, que surplombait une arche, si bien que l'étalon ne pouvait pour l'heure profiter pleinement de l'acuité de son regard, tandis que les rafales de vent faibles et vacillantes, lourdement chargées par leurs vaines errances d'une infinité d'autres parfums, ne lui permettaient pas, malgré son habileté, de déchiffrer leur message.

De temps à autre, la cruelle incertitude de l'attente faisait courir un frisson le long de son échine et il piaffait, plein de rage impuissante.

Puis il vit soudain la silhouette indistincte d'un cheval apparaître un bref instant, fantomatique, à travers les bancs de brume à la dérive. Poussant un hennissement perçant pour avertir son troupeau, il se mit aussitôt au galop et parcourut la vallée à vive allure sur toute sa longueur. Lorsqu'il atteignit l'entrée du défilé, l'intrus avait disparu. Sur le sol, cependant, il trouva des traces tangibles de la récente présence de cet animal furtif.

Le torrent impétueux qui longeait la limite occidentale de la vallée, dans un lit peu profond tapissé de pierres rouges et polies, s'élargissait pour former un vaste bassin aux broderies d'écume avant de s'engloutir dans le sol au fond de la sombre gueule du ravin. À quelques pieds de la rive, là où le sable fin était fraîchement piétiné par les sabots d'un cheval venu boire, une fumée élevait sa fine colonne torsadée au-dessus d'une plaque ronde d'herbe mouillée ; l'air empestait.

Dès qu'il aperçut cette preuve flagrante, l'étalon doré s'immobilisa et rejeta les oreilles en arrière. Montrant les dents, frémissant de la tête aux pieds, il contempla fixement les volutes de fumée et huma l'air fétide pendant quelques secondes. Puis il allongea le cou et s'approcha lentement, posant chaque sabot sur le sol avec le plus grand soin.

Il était sur le point de baisser la tête afin d'inspecter de plus près cette flaque d'urine fraîche, lorsqu'un hennissement aigu et arrogant mit fin à toute incertitude concernant son origine. Se détournant rapidement, la queue arquée, l'étalon doré s'apprêta à attaquer le paria sournois venu lui disputer la possession de ses juments.

Avec la ruse d'un vieux briscard, il refoula l'élan brûlant de son sang outragé qui l'incitait à livrer bataille aussitôt, sachant qu'il faudrait être fou pour s'enfoncer dans les profondeurs ténébreuses du défilé ; ses parois à pic étaient creusées d'alvéoles où son ennemi pourrait se dissimuler pour le regarder foncer droit devant lui et venir ensuite le surprendre par derrière afin de lui assener un coup mortel. Pour cette raison, il repartit au galop dans la vallée et parcourut quelques mètres à découvert, puis il hennit par trois fois sur un ton de défi, se dressant sur ses pattes de derrière afin de fouetter l'air de ses pattes antérieures tandis que sa queue martelait ses flancs.

L'envahisseur n'était pas moins retors. Il répondit par un cri moqueur et resta caché.

L'étalon doré continua de le provoquer sans succès, caracolant de long en large à l'embouchure du ravin, jusqu'au moment où il remarqua que son troupeau pris de panique fonçait en désordre à travers la partie supérieure de la vallée. Il lui fallut longtemps pour calmer les créatures affolées et les pousser à l'abri dans une large caverne au centre de la paroi nord. Les laissant sous la protection du doyen des poulains, un vaillant jeune novice qui serait bientôt lui-même en âge de procréer, il regagna son poste au galop.

Après avoir nargué jusqu'à midi l'ennemi invisible et

silencieux, il fit ressortir son troupeau et l'envoya brouter l'herbe des hautes terres. Puis il choisit trois de ses pouliches vierges et les chassa jusqu'au col, dans l'espoir que leur présence déchaînerait une exaltation lubrique qui aurait raison de la sagacité de l'ennemi et le persuaderait de livrer bataille sans plus tarder. Afin d'accroître le pouvoir de séduction de son leurre, il prit soin de mimer lui-même le tumulte et l'extase de l'accouplement avec tout le savoir-faire d'un ancien plein d'expérience.

Encore une fois, le proscrit refusa de se laisser débusquer et ne donna aucun signe de vie.

À la tombée de la nuit, l'étalon doré rentra son troupeau et entreprit de surveiller l'entrée de la grotte. Il commençait désormais à ressentir les effets de cette lutte prolongée et stérile. L'obscurité lui était affreusement pénible. L'ignorance où il se trouvait de la position et des intentions de son ennemi broyait comme un étau ses nerfs tendus à craquer. À chaque bruit — le cri d'un oiseau attaqué par un prédateur, le ululement des coyotes, le tintement qu'émettait un caillou délogé en dégringolant le long d'une paroi — il bondissait en faisant entendre un ronflement.

Quoique tenaillé par la faim, pas une seule fois il ne baissa la tête pour arracher quelques brins d'herbe.

Le lendemain, il changea de tactique et feignit de ne pas s'apercevoir de la présence de l'ennemi caché. Malgré cela, le troupeau ne lui permit guère de se reposer ou de reprendre des forces en mangeant. À d'innombrables reprises les vieilles juments, entraînant les autres, tentèrent des sorties vers les riches pâturages situés au milieu de la vallée. Il dut les punir sévèrement avant qu'elles ne consentissent à remonter vers le nord où le sol rocailleux était presque nu.

Plus tard, il lui fallut affronter une étrange forme de

panique, encore plus épuisante à contrôler. Fonçant brusquement toutes ensemble, en masse compacte, avec au centre les poulains nouveau-nés, les juments baissaient la tête et hennissaient d'un ton plaintif. Il dut charger au milieu d'elles à plusieurs reprises, leur mordre le cou et lancer des ruades aux plus obstinées. En ces occasions, l'étalon novice se montra hostile et même rebelle.

Pendant l'après-midi, des vautours vinrent s'installer au sommet des collines environnantes. Et non loin d'eux, là-haut, des loups très agités faisaient les cent pas, trottinant par petits groupes en compagnie d'une paire de pumas. Des aigles volaient très haut dans le ciel. Tous surveillaient la vallée et l'entrée du défilé vers lesquelles ils baissaient les yeux avec un intérêt intense et plein d'espoir.

À minuit, l'ennemi embusqué rompit son silence. D'une voix tendre et chevrotante, il fit entendre une sérénade à l'adresse des juments calfeutrées. Chaque hennissement prolongé, éveillant d'interminables échos à travers toute la vallée lorsqu'il se répercutait contre les hautes parois, proclamait sa solitude, sa puissance vierge et sa volonté farouche d'engendrer une progéniture en toute majesté. De temps à autre, cependant, il changeait brusquement de registre et mettait sa force de mâle dans un strident hurlement de triomphe et de passion.

Depuis les hauteurs, où ils observaient tout, bêtes et oiseaux de proie joignaient leurs cris désolés à ses orgueilleuses supplications, comme s'ils rêvaient de partager l'extase lascive qu'il chantait ainsi.

Montant la garde, de long en large, l'étalon doré répondit à chacun des appels du séducteur ennemi d'une voix enrouée par la faim et l'inquiétude. Ses flancs creusés étaient assombris par la sueur froide d'un début de panique. De temps en temps, lorsqu'il apercevait dans l'obscurité les yeux rouges des prédateurs de toutes sortes qui l'entouraient, tels de sombres lampes mortuaires sorties pour la veillée précédant le combat, une douleur soudaine le déchirait au plus profond de son cœur las.

Peu après l'aube, le fier envahisseur, la tête droite, s'avança à grands pas à travers le rideau de brume ondoyante; son corps souple se balançait, soutenant le rythme alerte de la jeunesse arrogante. Bien que son squelette encore immature fût un peu léger pour la violente tension d'un affrontement corps à corps, l'élasticité de son port gracieux laissait deviner qu'il serait très rapide et agile dans la manœuvre. Ses sabots lestes semblaient à peine effleurer le sol tandis qu'il approchait délicatement, l'air gai, superbe, resplendissant; le soleil éclatant dansait sur son pelage gris pommelé de petites taches blanches.

Lorsqu'il atteignit le centre de la vallée, il poussa un hennissement étranglé et inclina la tête trois fois de suite, très vite, comme pour saluer son adversaire avec la courtoisie cérémonieuse qui s'imposait. Puis, la queue arquée, il commença à escalader au galop la faible pente, levant bien haut ses pattes antérieures et agitant le cou en tous sens, afin de bander ses muscles pour le moment de l'attaque.

Tournant et retournant sur les traces qu'il avait creusées dans le sol, l'étalon doré attendit avec une joie sauvage de livrer bataille. Bien que ses flancs fussent encore mouillés de la sueur écumante qu'avait laissée la panique, l'imminence du combat l'emplissait de défi. Ses yeux injectés de sang étaient fixes et vitreux, ses naseaux frémissaient comme des feuilles agitées par le vent. Il avait tout oublié, son troupeau, sa faim, l'épuisante torture de l'attente. La glorieuse ivresse qu'engendre l'envie de tuer s'était entièrement emparée de son être.

Lorsque l'arrivant fut à mi-pente, les deux ennemis hennirent à l'unisson et chargèrent. Le sourd martèlement de leurs sabots fonçant sur la terre dure était presque noyé par le violent halètement de leur respiration. Lorsqu'ils ne furent plus qu'à une centaine de mètres l'un de l'autre, ils hennirent encore une fois sur une note perçante et inclinèrent avec raideur vers la droite leurs encolures voûtées.

Juste avant le premier contact, l'envahisseur se détourna et lança ses pattes postérieures vers le haut, décochant une violente ruade. Dans leur voltige, les sabots manquèrent de justesse le crâne de l'étalon doré qui pivota instinctivement vers la gauche pour aller frapper brutalement du poitrail le flanc exposé de son rival. Celui-ci, déséquilibré, se trouva jeté par terre sur le dos avec une force qui l'étourdit. Néanmoins, il ne perdit pas son sang-froid. Après avoir roulé trois fois sur lui-même le long de la pente, il se releva et se défendit avec beaucoup d'adresse contre les efforts furieux que faisait son adversaire pour mener à bien sa percée et lui assener le coup de grâce.

Par instants, le souple étalon gris bondissait, s'élevant très haut au-dessus de son propre terrain. Se contorsionnant dans les airs comme un chat qui joue, il faisait claquer ses mâchoires dénudées et lançait des ruades dans toutes les directions. Puis il plongeait à droite ou à gauche, la tête basse entre ses pattes de devant, creusant et bombant l'échine, balançant sa croupe qui montait et descendait, constamment en mouvement.

Avant qu'ils n'interrompissent brusquement leur corps à corps pour partir au petit galop vers le sud, l'étalon doré reçut plusieurs blessures au cou et au poitrail.

Ils coururent l'un à côté de l'autre, la queue au

repos, la tête oscillant avec nonchalance, comme deux camarades s'entraînant dans la bonne humeur. À proximité du défilé, ils décrivirent une vaste courbe pour repartir vers le nord, longeant les deux côtés de la vallée, sans manifester d'intérêt l'un pour l'autre tant qu'ils ne furent pas arrivés à la hauteur de leur champ de bataille. Alors, à l'unisson ils hennirent et chargèrent.

Au moment du contact, l'un et l'autre se dérobèrent et coururent vers le sud en se battant férocement, décrivant des boucles longues et minces lorsqu'ils se heurtaient, puis s'écartaient avant de se télescoper à nouveau avec violence. Chaque fois qu'ils s'éloignaient l'un de l'autre, ils lançaient leurs membres postérieurs vers le bas-ventre de l'ennemi, et chaque fois que leurs garrots entraient en collision ils tentaient de se mordre à la jugulaire.

Arrivés au milieu de la vallée, ils se séparèrent, épuisés, afin de se préparer à l'ultime assaut.

Tandis qu'il tournait en rond au petit trot, l'envahisseur gris ne cessait de se cabrer, en fouettant l'air de ses pattes antérieures, avec des hennissements pleins de défi. Quelques minutes à peine s'étaient écoulées depuis qu'il était sorti à grands pas du défilé, dans son arrogante splendeur et sa vanité, brûlant de répandre le riche trésor de sa semence vierge sur le butin du vainqueur. Mais déjà son corps luisant s'était contracté et usé dans les tourments de la bataille. Le sang coulait de ses naseaux. Son regard fixe était hébété de souffrance. Chaque fois que sa respiration douloureuse soulevait ses flancs assombris, un nuage de vapeur pâle sortait de son pelage tailladé et l'enveloppait de la tête aux pieds.

L'étalon doré était encore plus atteint. Ses pattes étaient si gourdes qu'il parvenait à peine à se camper droit et ferme. De la tête à la queue, son corps massif, déchiré par les blessures, n'était plus qu'une plaie. Il avait plusieurs côtes cassées. Il n'y avait pas jusqu'à ses bourses qui n'eussent été douloureusement touchées par un sabot adverse. Un filet de sang coulait de sa lèvre inférieure pendante. Un de ses yeux était fermé et de l'autre il voyait si trouble que son ennemi n'était plus désormais pour lui qu'une forme vague et indistincte.

À présent, les prédateurs étaient tous descendus des collines afin d'être à pied d'œuvre pour la curée.

Les vautours arrivèrent les premiers, se posant par petits groupes autour de la scène du combat. Certains faisaient les cent pas, se dandinant mollement sur leurs jambes torses. D'autres contemplaient gravement les combattants, leurs ailes sombres dressées comme des écrans autour de la peau rouge et obscène de leurs crânes nus. Avançant furtivement vers le nord, depuis le col, regroupés en quatre bandes distinctes, les loups s'aplatissaient tous les quelques mètres pour humer le sang versé et gémir goulûment. Ils étaient suivis par trois pumas qui bâillaient en s'étirant, comme si cette longue attente les ennuyait profondément.

En voyant approcher tous ces ennemis, l'étalon novice se prépara en toute hâte à entraîner à sa suite les pouliches vierges et les jeunes juments qui n'avaient pas de petits à leur charge. Après avoir repoussé en queue de peloton les poulinières et leurs poulains sans défense dont il ne voulait pas, il rassembla à l'entrée de la grotte, en bon ordre de marche, les épouses qu'il s'était choisies. Puis il s'efforça de les attacher à sa personne par des caresses et des cris passionnés, tout en attendant le moment idéal pour s'enfuir hors de la vallée.

L'attaque finale fut déclenchée sans sommation.

Poussant un hennissement rauque et étranglé, l'envahisseur s'avança lentement au petit galop, la tête courbée. L'étalon doré, les pattes écartées, rassemblant tout ce qui lui restait de forces, refusa de reculer jusqu'au moment où l'ennemi se déroba tout près de lui pour le heurter de biais. Alors il se cabra et laissa retomber ses pattes antérieures le plus violemment possible. Atteint au creux des reins, le cheval gris poussa un cri perçant et s'effondra. Alors qu'il roulait sur lui-même pour échapper à son adversaire, un second coup sur l'échine le fit gémir et frissonner de la tête à la queue. Ouvrant tout grands ses yeux vitreux, il se retourna sur le dos, agita le cou d'un côté puis de l'autre et fit claquer ses mâchoires inutilement dans les affres convulsives de la mort.

Lorsque l'étalon doré voulut se cabrer encore une fois pour frapper, ses pattes de derrière furent incapables de supporter son poids. Il partit en vacillant vers l'avant, ployant les genoux. Tandis qu'il titubait en tous sens, s'efforçant de reprendre son équilibre, les dents de son ennemi se refermèrent sur sa patte postérieure droite, juste au-dessus du boulet. Alors, à son tour, il poussa un cri perçant et tomba en travers du ventre de son adversaire prostré qui émit un râle au fond de son gosier et laissa béer ses mâchoires.

Au même instant, le novice jaillit de la caverne avec ses troupes compactes et fila vers le sud à toute allure. Sans cesser de hennir d'un ton féroce, les cavales passèrent sous un sombre nuage de vautours qui volaient à tire d'aile en direction des combattants à terre. Quelques-uns des loups les plus avancés les attaquèrent et furent reçus à coups de sabot; d'autres s'écartèrent, queue basse, impressionnés par leur discipline et leur puissance. Longtemps après que les fuyards eurent pénétré dans le défilé et disparu, le tonnerre de leurs sabots continua de résonner parmi les collines qui surplombaient la vallée.

Ranimé par les oiseaux de proie glapissants qui s'abattaient en grappes sur le cou tendu de son ennemi, l'étalon doré se releva et s'éloigna tant bien que mal sur trois pattes. Dès qu'il fut parti, le corps entier de l'envahisseur gris fut recouvert par un sombre monticule d'ailes battant au vent. Ici et là, d'ignobles crânes rouges apparaissaient sous la masse ondulante, comme des pousses perçant la terre polluée pour s'épanouir à la lumière.

Avec des hennissements plaintifs et chevrotants, les juments et les poulains abandonnés coururent auprès de leur protecteur mutilé. Retrouvant un peu de vaillance à son contact, ils parvinrent à contenir pendant quelque temps la charge des loups.

Puis deux des pumas forcèrent le cercle et abattirent l'étalon.

La sirène

Dans le village de Liscarra vivait un jeune homme célèbre pour sa force et sa beauté. D'un bout à l'autre de la côte, son nom était sur toutes les lèvres comme le plus doux des miels. Aux deux vertus que l'on vient de dire, les plus convoitées de notre contrée occidentale, la Nature en avait ajouté une infinité d'autres non moins désirables. Si bien que l'on croyait voir un jeune dieu descendu vivre parmi nous. Plutôt que la jalousie, c'était un orgueil divin qu'il éveillait chez ses semblables, jeunes et vieux, l'orgueil de se dire qu'un tel prodige était issu de leur race.

Au printemps, quand on dressait les jeunes chevaux sur la longue grève au bord de la mer, c'était Michael McNamara que l'on choisissait pour amadouer les plus sauvages et jamais personne ne l'avait vu jeté bas par une monture. Quelle joie extrême que de l'entendre pousser les cris stridents du dompteur de chevaux en galopant le long de l'eau, une main crispée dans la crinière, l'autre faisant voltiger le licol autour de sa chevelure dorée, tandis que le soleil étincelait sur le pelage de la bête et que les sabots vierges de fers frappaient l'écume du ressac! Il était capable de terrasser un bœuf en exerçant une seule torsion sur ses cornes. Parmi les autres hommes, c'était à qui le ferait asseoir à l'avant de son bateau pour les sorties en mer, à la fois parce qu'il ramait à merveille et parce qu'il semblait que les ondes cruelles n'oseraient pas noyer celui qui passait pour être l'enfant chéri de Dieu.

À l'église, le dimanche, à la seule idée qu'il se trouvait dans le même édifice qu'elles, les jeunes femmes rougissaient en priant.

Le plus merveilleux de tous ses talents était le subtil génie de ses mains. Avec le bois il savait tailler un bateau, avec la pierre bâtir une maison, avec des joncs fabriquer un panier. À vrai dire, il semblait que la nature l'eût rendu maître de tous les arts, à tel point que la musique, qui est parmi nous un don particulier, presque toujours réservé aux aveugles et aux faibles à titre de compensation, était aussi son apanage dans toute la plénitude de son harmonie. Jamais aucun merle ne chanta au crépuscule plus mélodieusement que lui et ses doigts savaient tirer d'un violon ces airs débridés que nous ont transmis de génération en génération nos anciens poètes qui, à ce qu'on dit, parvinrent à apprendre le langage des oiseaux grâce à leur divine sorcellerie.

Entre ses mains, tout prospérait, et pourtant il ne convoitait rien, pas plus l'argent que les honneurs; et il ne prostituait pas non plus ses talents pour les mettre au service du gain matériel, comme cela arrive souvent chez ceux qui veulent s'enrichir; au contraire, il faisait tout gratuitement, pour l'amour de son prochain. Il vivait très simplement, comme les autres moins doués que lui et moins chanceux, retournant sa terre, pêchant dans la mer et faisant bombance avec les autres jeunes gens les jours de fête.

Il avait vingt-six ans quand sa mère mourut. Elle n'avait pas d'autre enfant et le père de Michael était mort trois mois après sa naissance. Si grande était l'innocence du jeune homme qu'il ne versa pas une larme en perdant sa mère, mais la suivit jusqu'au cimetière en souriant. Il ne comprenait pas ce que c'était que le chagrin. Quand des parents lui reprochèrent sa gaieté, il leur répondit qu'il serait bien sot de pleurer une femme qui s'en était allée partager avec les saints du paradis le bonheur éternel.

Après la mort de sa mère, il vécut seul dans sa maison pendant deux ans, sans songer au mariage, bien que l'on proposât à sa famille, comme le veut la coutume, les plus beaux partis de la région. Lorsque le curé de la paroisse lui reprocha son célibat, ajoutant que cet état l'entraînerait vers la débauche et le péché, il répondit qu'un homme qui devait se laisser museler par une épouse pour éviter de sombrer dans la débauche n'était pas digne des joies de l'innocence. Après cela, on commença à le traiter avec tout le respect que l'on accorde aux prêtres.

On vit alors venir à la grande foire aux chevaux de Ballintubber un homme de la famille Conroy, descendu des montagnes avec trois chevaux à vendre, trois beautés nées de la même mère. Chacun fit remarquer que c'était sûrement un grand chagrin ou un besoin plus grand encore qui obligeait leur propriétaire à chercher à s'en défaire. Car parmi les gens de l'Ouest, un beau cheval n'a pas de prix. McNamara se mit à converser avec cet homme, tandis que les maquignons examinaient les bêtes, énumérant leurs défauts à haute voix, pour la plus grande fureur de leur maître qui savait bien qu'elles n'en avaient aucun.

« Triste jour pour le fils de mon père, déclara-t-il, que celui où je dois vendre mes trois derniers chevaux à des étrangers mal embouchés, moi qui me rappelle encore le jour où une bonne vingtaine de bêtes de la même race paissaient en liberté sur la montagne. Mais j'ai une fille à qui il faut une dot.

— Sur ma foi, lança McNamara, si votre fille est aussi belle que vos chevaux, je la prendrai sans dot.

— Et qui êtes-vous donc ? demanda Conroy.

— Je suis Michael McNamara de Liscarra. Je suis bien connu parmi les miens. »

À ces mots, l'étranger serra la main de McNamara et ils entrèrent avec leurs parents dans la taverne où ils burent à la santé l'un de l'autre ; le soir même, tout le monde partit pour la montagne, afin d'aller voir la jeune personne. Quand McNamara l'aperçut, son innocence et son bonheur l'abandonnèrent, car elle était plus belle que lui.

Il la prit par la main et lui dit :

« Les jeunes gens de votre contrée n'ont pas lieu de se vanter, eux qui ont laissé votre père mener ses chevaux à la foire pour vous constituer une dot, car vous êtes plus belle que le soleil du matin. Mais vous êtes aussi cruelle que le vent de mars. J'ai ramené les chevaux de votre père de la foire de Ballintubber jusqu'à la porte de cette maison sans lui permettre de les vendre, et pour me remercier de cette gentillesse vous m'avez frappé au cœur. À présent vous allez être obligée de m'épouser, avant d'aggraver votre cruauté en me tuant de désir. »

Le désir, en effet, s'était emparé de lui avec la frénésie d'un de ces ouragans déchaînés qui, les jours d'été, jaillissent de l'Océan à l'ouest pour tout ravager devant eux. Et elle était digne d'un tel amour.

Quand les bulles d'écume s'envolent au vent au-dessus des falaises au mois d'avril et que le gai soleil, brillant à travers la pluie, se reflète dans leurs orbes cristallins, elles sont plus belles que les perles rares. Tels étaient les yeux de la jeune fille, deux joyaux d'une beauté qui rendait fou. Ses cheveux noirs comme l'aile du corbeau étaient nimbés de cette lumière chatoyante que le clair de lune diffuse sur la mer dans les baies sombres où les oiseaux marins somnolent sur leurs corniches, réduits au silence par l'enchantement nocturne. Elle était simplement vêtue, comme il convenait à une fille aussi belle, car les habits les plus riches auraient souillé son corps fait pour être adoré dans sa blanche candeur par un regard émerveillé, comme ces fleurs ravissantes qui ouvrent tout grands leurs pétales à l'abeille.

Hélas ! quand la chanson des vents d'automne annonce les neiges hivernales, les mauvaises herbes apparues au printemps sont encore florissantes dans leur laideur, alors que les plus tendres corolles perdent leur parfum entre l'aube et le crépuscule d'un jour d'été. Ainsi en fut-il de cette jeune fille. Sa beauté était trop parfaite pour durer. Déjà la vive rougeur de la mort colorait sa joue.

L'amour du jeune homme fut payé de retour et le jour de la Saint-Martin, en ce même automne, Margaret Conroy devint l'épouse de Michael McNamara dans la paroisse de Liscarra. À l'église, les gens pleuraient, et ce fut une véritable armée qui suivit les mariés jusque chez eux pour fêter leurs noces.

Ils vécurent ensemble, dans une extase de bonheur, pendant un mois. Au cours des rares moments où ils n'étaient pas dans les bras l'un de l'autre, McNamara vaquait à ses occupations comme un homme en transe, terrassé par l'extraordinaire passion qui s'était emparée de lui. Et elle, se donnant à lui avec la frénésie des condamnés, se consuma dans le feu de ses caresses jusqu'au matin où Michael, à sa profonde horreur, se réveilla auprès de sa femme pour découvrir sur ses lèvres la pâleur de la mort.

Moins d'une semaine plus tard, elle n'était plus. Les vieilles femmes pleines de sagesse qui suivirent la dépouille jusqu'à sa dernière demeure déclarèrent qu'un couvent était l'endroit qui eût convenu à une beauté aussi frêle, qu'elle n'aurait pu vivre qu'avec le doux Jésus pour époux. D'autres qui croyaient encore aux sorcelleries d'antan dirent que c'était le dieu Crom qui l'avait prise pour femme.

McNamara perdit la raison. Il refusa de croire qu'elle était morte et marcha derrière le cercueil dans un état de complète hébétude, mais quand il vit la bière disparaître dans la tombe et les pelletées de terre commencer à la recouvrir, il poussa un hurlement sauvage et se jeta dans la fosse. On l'en extirpa et on l'emmena hors du cimetière, hurlant toujours, mais il échappa aux bras qui l'entouraient et partit comme un fou à travers la campagne, s'arrachant les cheveux, gémissant tout haut, maudissant Dieu, sa mère et le jour de sa naissance. Il s'écorcha le visage aux buissons d'épines et lacéra les habits qu'il avait sur le dos. On parvint enfin à l'attraper et on le ramena chez lui. Ses amis vinrent le réconforter.

Quand la première explosion de chagrin se fut épuisée et qu'il eut recouvré la raison, il dit à ceux qui étaient venus le consoler :

« Pourquoi me parlez-vous de l'amour de Dieu qui est si rusé dans sa cruauté ? N'ai-je pas vu mettre ma femme en terre au milieu des vers ? Pourquoi me dites-vous que le temps guérira ma peine, alors que je sais bien que dorénavant et jusqu'à mon dernier soupir je ne pourrai que maudire le soleil qui se lève avec l'aurore et les oiseaux qui chantent à la tombée de la nuit ? Éloignez-vous de moi, tous tant que vous êtes, et laissez-moi seul dans cette demeure où je puis encore sentir la douceur de son souffle. »

Lui qui, dans son innocence, avait été aussi beau, aussi humble, aussi heureux qu'un dieu, n'était à présent dans son chagrin qu'un ours mal léché. Les voisins fuyaient son visage renfrogné. Il restait assis tout le jour en silence devant son âtre vide, seul avec sa douleur. Au cœur de la nuit, quand la terrible lune venait briller par les fenêtres de sa maison, il fondait en larmes, soudain radouci, et gagnait pieds nus le lit qu'il avait partagé avec elle. Il baisait l'oreiller qu'avait touché sa tête, en murmurant son nom. Alors, elle apparaissait près de lui et il oubliait la tombe où on l'avait ensevelie. Si bien qu'il pouvait dormir. Mais le lendemain matin, quand il s'éveillait et trouvait vide la place où elle avait reposé à ses côtés, sa souffrance revenait toujours plus forte. Et il passait la journée assis en silence devant son âtre vide.

Vers le soir, la première tempête de l'hiver s'amoncela au levant et le tonnerre des vagues parvint dans toute sa violence jusqu'au village. Alors il entendit sa femme qui l'appelait. Il sortit de sa maison et vit dans le ciel les oiseaux marins fuir l'Océan qui commençait à se soulever, afin de gagner l'intérieur des terres. Le ciel était magnifique, peuplé de nuages noirs et violets; le rugissement du tonnerre et les éclairs éblouissants firent naître en lui un délire frénétique, car il croyait reconnaître dans ce tumulte la voix de Dieu se repentant de lui avoir volé sa bien-aimée.

Il quitta le village pour le bord de mer. Là, dans une crique encerclée de rochers, sur une grève sablonneuse, gisaient les bateaux des villageois. Il en prit un, avec ses avirons, et le poussa au milieu des vagues. Puis il partit vers le large. Bientôt le vent emporta vers l'ouest, sous des falaises vertigineuses, le frêle esquif ballotté par d'énormes vagues.

Alors, par-dessus le rugissement du vent, il entendit la voix de sa femme qui chantait pour lui et il cria : « Margaret, mon amour, où es-tu ? Me voici. »

Et son chagrin se dissipa, son cœur devint léger, ses yeux brillèrent d'extase, tandis qu'il ramait vers les falaises, porté par les grands rouleaux qui déferlaient comme autant de montagnes jusqu'aux murailles de pierre. Maintenant, il entendait clairement la voix qui, tout près, chantait pour lui une mélodie d'une douceur exquise. Il lâcha ses avirons, se mit debout dans sa barque et se tourna vers la falaise d'où la voix de sa femme lui était parvenue.

Tandis que la vague emportait son bateau à toute vitesse vers la paroi de pierre, il vit sa femme, les bras tendus, qui lui faisait signe d'approcher. Ses cheveux noirs comme l'aile d'un corbeau, couronnés d'écume étincelante, tombaient sur ses épaules blanches et nues. Elle portait une ceinture de gemmes marines. Ses pieds étaient ailés. Elle se tenait à l'entrée d'une grotte qui s'était ouverte dans la falaise et il apercevait à l'intérieur un palais d'une beauté éblouissante.

Et puis la vague heurta la paroi, envoyant, dans un sifflement, une colonne d'eau salée jusqu'au firmament ; au même instant les bras de Michael se refermèrent sur le spectre et il sombra dans une extase d'amour éternel.

L'eau enchantée

Presque toutes les parcelles de terrain autour du lac portent le nom d'une espèce d'oiseau, annonça le vieux pêcheur. Le grand rocher large et plat sur lequel nous sommes assis s'appelle le « Perchoir aux mouettes ». On l'a nommé ainsi parce que les mouettes viennent jusqu'ici depuis les hautes falaises de la côte sud, quand les intempéries leur interdisent de chercher leurs proies dans la mer déchaînée.

Les mouettes sont des oiseaux très intelligents. Elles savent toujours à l'avance l'arrivée d'une tempête. Si, par une belle journée d'été comme aujourd'hui, vous regardez ces hauteurs depuis le village et que vous voyez une multitude de goélands déambuler sur ces rochers gris et lisses ou voler très bas au-dessus du lac qui se trouve là devant, les pattes pendantes, fouillant l'eau du regard pour trouver à manger, eh bien vous pouvez être sûr que le temps va se gâter sous peu, quelques heures tout au plus.

La falaise peu élevée dont l'à-pic surplombe l'extrémité la plus éloignée du lac, disparaissant sous le lierre, s'appelle le « Rocher du héron ». Pour le moment, quatre hérons s'y trouvent, les ailes déployées autour de la tête ; on dirait des hommes tout en jambes essayant de se protéger la nuque d'une averse. Ils sont encore plus malins que les mouettes, même si l'on se demande où ils logent leur cervelle quand on voit à quel point leur tête est petite par rapport au reste de leur corps. On ne les voit jamais, sauf quand une période de temps sec a fait baisser le niveau du lac jusqu'au point où il se trouve en ce moment. Quand c'est le cas, ils peuvent en arpenter le fond et pêcher les anguilles grâce à leur cou démesuré. Comment savent-ils à quel moment venir ? J'avoue que c'est un mystère pour moi, car je vous jure que de toute ma vie je ne les ai jamais vus arriver un jour trop tôt ni trop tard.

Le lac lui-même porte deux noms. Officiellement, on l'appelle le « Lac noir », mais entre eux les gens du coin disent l'« Eau enchantée ». À cette heure, sous le soleil, il paraît ravissant et gai, avec les cygnes glissant sur sa surface blanche et lisse, les courlis qui dorment tout debout sur les petites plaques de sable jaune dénudé et les poules d'eau qui se pourchassent parmi les roseaux. Toutefois, si vous veniez ici l'hiver quand les falaises environnantes et les eaux profondes sont noires de pluie et qu'un bruit pareil aux chuchotis de femmes éplorées sort des roseaux secoués par le vent féroce, vous conviendriez qu'il a reçu deux noms qui lui vont bien.

Au temps jadis, les gens croyaient qu'il était hanté par un esprit du mal. D'ailleurs, certains le croient encore. Il serait bien difficile de trouver au village quelqu'un d'assez courageux pour s'aventurer ici tout seul par une sombre nuit d'hiver. Les jeunes femmes viennent chercher un peu de son eau dans de grandes conques et s'en servent pour jeter des sorts. On raconte qu'une femme ne mourra pas inféconde ni en couches si elle dit certaines prières avant de boire l'eau du lac à même une conque. On croit aussi qu'elle est très bonne pour le bétail, l'eau de ce lac. Les gens y mènent leurs bêtes des quatre coins de la région, surtout au printemps. On prétend que pas un cheval n'est aussi rapide que ceux qui boivent l'« Eau enchantée ». Oh, les gens enjolivent parfois la vérité, bien sûr, mais il y en a toujours un soupçon dans tout ce qui nous est transmis des temps passés.

Une ancienne tradition nous dit aussi qu'un saint vivait là tout seul, il y a très très longtemps. Il paraît qu'il était si reconnaissant aux oiseaux de lui tenir compagnie qu'il les a bénis et qu'il a lancé une malédiction éternelle contre quiconque leur ferait du mal. C'est ce qui explique que l'endroit soit resté jusqu'à ce jour un sanctuaire pour presque toutes les espèces d'oiseaux lacustres. Même le galopin le plus effronté et le plus espiègle de notre village préférerait se trancher la main droite plutôt que de jeter une pierre à l'un des oiseaux qui vivent par ici, ou de prendre leurs œufs au nid. Quant aux oiseaux, ils se savent en sécurité. Ils n'ont pas le moins du monde peur des gens. D'ordinaire, les courlis sont les créatures les plus méfiantes, les plus prudentes qui soient. Et pourtant en voici deux debout sur ce rocher noir juste au-dessous de nous, la tête sous l'aile, qui se sentent visiblement aussi bien protégés que des enfants que l'on balance dans leur berceau.

On dit aussi que le saint a partagé parmi les différentes tribus d'oiseaux toutes les terres qui bordent le lac, afin de les empêcher de s'entrebattre. Il paraît que c'est lui qui a baptisé chaque endroit du nom de l'espèce autorisée à venir y nicher et se prélasser au soleil. Mais cette partie de l'histoire ne peut être entièrement vraie, puisque c'est moi qui ai donné son nom à la « Grotte aux canards sauvages » voici une trentaine d'années. Avant cette époque, je sais de source sûre qu'elle n'avait pas de nom.

Vous voyez d'ici l'entrée de la caverne, à l'autre bout du lac, légèrement à droite des hérons. Vous ne pouvez pas la manquer. C'est comme une lucarne ronde et noire, percée dans la grisaille de cette paroi bien lisse. Il y a une grande plaque de mousse blanche presque directement au-dessus, et au-dessous les truites bondissent dans la pénombre. Pour le moment, le trou est à plusieurs yards au moins de la surface, mais quand le lac est plein un nageur pourrait presque l'atteindre en levant la main. Quoi qu'il en soit, un enfant, même tout petit, ne saurait s'y glisser, et les falaises qui l'entourent sont si lisses qu'elles en interdisent l'accès aux bêtes telles que rats ou belettes. C'est un lieu idéal pour nicher.

Comme je l'ai déjà dit, cela fait près de trente ans que j'ai baptisé cette grotte. Voici comment. Un matin vers la fin du printemps, j'ai fait descendre ma vache jusqu'à la rive, là-bas au loin sur la droite, là où vous pouvez voir trois chevaux noirs enfoncés dans l'eau jusqu'aux genoux. Tandis que ma vache s'abreuvait, j'ai remarqué un caneton qui cherchait à se dissimuler parmi les pierres grises et boueuses au bord de l'eau. Il n'a fait pratiquement aucun effort pour se sauver à mon approche. Quand je l'ai ramassé et posé sur ma paume, il a juste poussé un petit coin-coin, c'est tout. Il était à moitié mort de froid et de faim, une pauvre chose sans défense encore parée du duvet de la petite enfance. Ne voyant nulle part la moindre trace de ses parents, j'en suis venu à la conclusion qu'il avait été abandonné ou qu'il s'était perdu. Alors je l'ai mis dans ma chemise et je l'ai ramené à la maison.

Par chance, comme ça se trouvait, ma femme élevait justement une couvée de canetons. Comme elle n'avait pas de cane couveuse, c'est une poule qui lui couvait ses œufs. Mais la poule a abandonné les canetons dès leur sortie de l'œuf. J'imagine que cette sotte créature a eu peur quand elle a vu leur étrange aspect et qu'elle a pris ses pattes à son cou. En tout cas, ma femme a dû les mettre sur un lit de paille dans une caisse en bois près du feu de la cuisine et s'occuper d'eux en personne. Ils n'étaient guère plus vieux que le petit animal sauvage que j'avais trouvé.

« Au nom de Dieu, ai-je dit à ma femme en sortant le caneton de ma chemise, mets donc ce petit avec les autres. »

Elle l'a contemplé fixement, puis elle m'a demandé :
« C'est quoi que t'as là ?
— C'est un caneton sauvage, ai-je dit.
— Où que tu l'as eu ? » a-t-elle demandé d'un ton soupçonneux.

Je le lui ai dit et elle a failli perdre l'esprit séance tenante. « Sors-moi ça de la maison, s'est-elle écriée après avoir craché par terre et fait un signe de croix entre elle et la petite bête. Il est enchanté, ton caneton. T'avais pas le droit d'y toucher. Tu vas faire descendre une malédiction sur notre maison. »

J'ai tenté de la raisonner, en faisant valoir que j'aurais sûrement risqué davantage d'être maudit si j'avais laissé un petit oiseau sans défense mourir par manque de chaleur et de nourriture.

« C'est une chance pour moi d'avoir pu le ramener à la maison, ai-je dit, parce que la malédiction s'abattrait certainement sur moi si je l'avais laissé là où il était, pour être dévoré par une de ces païennes de belettes ou par un faucon. C'est vrai, je t'assure. Elle tomberait tout droit sur moi et je la mériterais,

109

pour avoir refusé de secourir un animal sans défense. »

Quand je lui ai présenté les choses ainsi, elle s'est cal-mée et elle a changé d'avis, acceptant de laisser le cane-ton sauvage séjourner dans notre demeure.

« Puisque tu l'as pas volé à sa mère, a-t-elle dit, et que tu l'as pas rudoyé, il peut pas y avoir de mal à le garder chez nous. Je vais le mettre dans la caisse avec les autres. »

Très vite on a su au village que nous avions dans la maison un oiseau sauvage rapporté de l'« Eau enchan-tée ». Les voisins sont arrivés au galop de toutes les directions pour le voir. Ils ont tous été très déçus quand ils l'ont vu se nourrir dans une petite mangeoire sur le sol de la cuisine avec les canetons domestiques. Déjà la petite créature était comme chez elle et les autres orphelins l'avaient cordialement accueillie.

« Il a pas l'air enchanté du tout, s'écriait-on. C'est tout juste si on peut faire la différence entre lui et les autres. C'est rien qu'un petit caneton noir ordinaire. »

Le sauvageon était un tout petit peu plus vif dans ses mouvements et d'une nuance légèrement plus foncée peut-être que ses camarades. C'étaient les seuls détails qui le distinguaient d'eux. De toute façon, que ce soit chez les êtres humains ou les autres créatures, les très jeunes et les très vieux se ressemblent tous et se com-portent de la même façon, si différents soient-ils par la race ou l'éducation.

« Bien sûr qu'il a pas l'air enchanté, disais-je, y a aucune raison pour qu'il l'ait. C'est une sainte créa-ture, comme le laissent aisément deviner sa grâce et son bon naturel. »

Quand je leur ai expliqué comment je l'avais trouvé et pourquoi je l'avais rapporté chez moi, chacun a convenu que j'avais agi sagement.

« Pour sûr que c'est une sainte créature, ont-ils

reconnu, et qu'aucun sortilège s'attache à lui. Tant mieux pour toi! Le saint t'a confié un de ses oiseaux à élever, à ce qu'on dirait. »

Avant peu, cependant, le petit orphelin a commencé à laisser clairement voir qu'il était différent des autres et qu'il n'y aurait pas moyen de venir à bout de sa nature de bête sauvage. Avec chaque jour qui passait, il se montrait de plus en plus méfiant. Il était toujours sur ses gardes. Au lieu de s'habituer à ma femme et à moi-même, il a pris l'habitude de nous éviter de toutes les façons possibles. Il résistait à toutes nos tentatives de rapprochement. Il avait horreur d'être touché et d'être acculé dans un coin. Quand est venu l'été et que ma femme a transporté la couvée dans une remise entourée d'une petite courette, c'était à peine si nous parvenions à apercevoir notre pensionnaire. Il se sauvait chaque fois qu'il entendait un de nous deux arriver et il refusait de toucher à sa nourriture tant que nous restions dans la cour.

« Il sera plus longtemps chez nous, à présent, ai-je dit à ma femme. Dès que ses ailes seront assez fortes pour monter bien haut, il partira pour l'« Eau enchantée »; c'est là qu'il doit vivre.

— Ce serait bien dommage de le laisser partir, a dit ma femme, un aussi bel oiseau. Avec un pareil père, on pourrait obtenir une nouvelle race de canards qui étonnerait la contrée entière. Tu crois que ce serait un péché de lui rogner les ailes pour l'empêcher de s'envoler? »

En effet, le canard sauvage était en passe de se transformer en un superbe mâle, avec des plumes luisantes parsemées de taches de toutes les belles couleurs de l'arc-en-ciel. Quand on voyait la splendeur de son corps et la souple vivacité de ses mouvements, c'était un spectacle qui vous réjouissait le cœur. Je n'en voulais pas à ma femme d'être tentée de le convoiter. Mais quand même, j'ai refusé de prêter oreille à sa proposition.

« Est-ce que par hasard tu me parlerais de faire violence à une sainte créature? lui ai-je demandé. Honte à toi! Ce serait un affreux péché que de lui rogner les ailes et de le priver d'un pouvoir que Dieu lui a octroyé.

— Peut-être bien que oui, a-t-elle dit, mais ce serait un péché bien pis encore de le laisser partir sans avoir de lui une couvée de petits.

— Qu'il s'en aille quand il en aura envie, ai-je dit. Ce n'est pas à nous de l'en empêcher par de méchantes ruses. »

Ma femme alors a souri d'un air singulier et déclaré : « Peut-être bien qu'il sera pas si pressé de nous quitter après tout.

— Qu'est-ce que tu veux dire par là? ai-je demandé.

— Je crois bien qu'il s'est fameusement amouraché d'une de nos femelles, a-t-elle répondu. C'est cette petite canette toute menue qui est presque aussi noire et luisante que lui. Ils ont toujours été ensemble et il est très jaloux d'elle. Alors, on aura peut-être pas besoin de lui rogner les ailes. La petite canette noire est pas capable de voler bien loin. »

Par ma barbe, elle avait raison. Le mâle sauvage était fou d'amour pour la petite canette noire. Non seulement la quittait-il rarement, mais il ne laissait personne l'approcher. Même quand ses ailes sont devenues suffisamment fortes pour lui permettre de voler haut et loin, il n'a jamais paru désireux de nous quitter pour de bon. Il avait beau couvrir de grandes distances, il revenait toujours se poser près de sa camarade. Le bec touchant presque le sol et les ailes pendantes, il lui tenait des discours pleins de feu, comme s'il lui faisait le récit de ses aventures. On aurait dit qu'il était retenu à notre basse-cour par une chaîne bien plus forte que toutes celles qu'aurait pu façonner une main humaine : la chaîne d'or de l'amour.

Quand l'été s'est achevé et que les premières grosses pluies d'automne ont commencé à inonder les marécages au-dessous du village, nos canards sont devenus presque fous de joie. Ils partaient à l'aube, dès que ma femme leur avait ouvert la porte de la basse-cour, pour aller passer la journée entière à nager sur le marécage inondé et à fouiller ses eaux boueuses qui grouillaient de menu fretin. Ma femme était obligée de s'égosiller au coucher du soleil pour parvenir à les faire rentrer à la maison.

C'est alors que j'ai compris que le canard sauvage comptait emmener sa petite femelle avec lui. Jour après jour, il s'affairait du matin au soir, lui apprenant à nager et voler aussi bien que lui. Quand elle refusait de lui obéir, épuisée par tant d'efforts, il lui frappait impitoyablement la tête à coups de bec. Et ensuite, il la cajolait et la câlinait, jusqu'à ce qu'il ait réussi à lui faire faire ce qu'il voulait. Sur ma foi, il n'a pas fallu longtemps pour qu'elle soit capable de pêcher sous l'eau comme un cormoran et même de couvrir de longues distances à une assez grande altitude. Ils étaient toujours les derniers à rentrer, tous les deux. Et désormais, même dans la basse-cour, ils restaient complètement à l'écart des autres. La petite canette noire commençait à se montrer aussi méfiante et prudente que son mâle.

« Tu vois un peu l'effet qu'il a sur elle ? ai-je demandé à ma femme. Elle sera bientôt aussi sauvage que lui. Et alors, il l'emmènera loin d'ici.

— T'en fais donc pas, a répondu ma femme. La canette sait bien ce qui est bon pour elle. Elle quittera pas une maison aussi confortable. »

Pour cette fois, elle se trompait, parce qu'un matin, quelques semaines plus tard, on a constaté à notre lever que le canard sauvage et sa camarade manquaient à l'appel.

« Ils sont partis, ai-je dit, je le savais bien. Je me suis réveillé cette nuit et j'ai entendu des oies sauvages caqueter en passant le long de la voûte étoilée ; elles filaient vers l'"Eau enchantée". C'est le caquet de ces oies qui leur a donné le signal du départ. Nous l'avons perdu, à présent, et notre petite canette noire par-dessus le marché.

— T'en fais donc pas, a déclaré ma femme, notre petite canette sera bien contente de revenir une fois qu'elle aura passé quelques nuits sur cette saleté de lac. Et alors le mâle la suivra jusque dans notre basse-cour. »

Mais encore une fois, ma femme se trompait, parce que la canette noire n'est jamais revenue. D'ailleurs, pendant des mois, nous n'avons rien su, ni rien entendu dire du couple de fugitifs. Bien des fois, au cours de l'hiver, en les cherchant autour des rives du lac, dans tous les coins, je me suis dit qu'ils avaient été enlevés par quelque sortilège. Ce n'était pas bien difficile à croire, en écoutant les cris désolés des courlis se réper-cuter parmi les falaises et les tristes murmures des roseaux s'élever à travers la brume, comme des voix de l'autre monde chantant une mélodie funèbre.

Puis le printemps est revenu et je les ai enfin décou-verts par une belle matinée d'avril, tandis que le soleil dansait sur le lac et que le ciel était rempli d'alouettes qui gazouillaient. Je me tenais par là-bas, près du « Rocher du héron », quand je les ai vus sortir du trou dans la paroi. Le mâle est apparu le premier et après s'être posé sur l'eau il a regardé tout autour de lui soi-gneusement. Puis il a appelé la canette. Elle est des-cendue doucement auprès de lui, portant sur son dos deux petits canetons. Elle les a déposés sur l'eau à côté de leur père et elle est retournée dans la grotte en chercher deux autres. Et puis elle est repartie une autre fois chercher le cinquième et dernier petit de sa couvée.

Les amants

Il faisait une chaleur caniculaire. Le vieux Michael Doyle était allé au magasin s'acheter une once de tabac. Et maintenant, il avait bien du mal à rentrer chez lui. Appuyé de tout son poids sur son bâton, il cheminait lentement à l'abri d'un haut mur qui bordait la route.

« Ah! pour sûr que je regrette bien à cette heure de pas avoir envoyé un des galopins me chercher ça », grommelait-il.

Au bout d'une minute environ il s'arrêta, se redressa et ajouta :

« Ouais, mais peut-être bien qu'ils auraient gardé l'argent! Ouiche! Si c'est pas affreux de voir comment qu'on me traite dans une maison où que j'étais le maître dans le temps. Ouiche! Je ferais mieux de m'asseoir et de fumer un coup. Dieu tout-puissant! Ce qu'il fait chaud! »

Michael avait soixante-dix-sept ans. Il avait été jadis un homme de très haute stature, mais il était maintenant ratatiné sur lui-même et vilainement contrefait, comme si on lui avait brisé, puis désarticulé les quatre membres avant de les réassembler n'importe comment. Son nez était une protubérance, sa lèvre inférieure s'était recroquevillée en boule, et à force de couler ses yeux chassieux avaient tracé des sillons dans la peau de ses joues. Ses vêtements étaient rapiécés de façon surprenante. Ils n'étaient pas à sa taille et avaient à l'évidence été mis au rebut par son fils et ses petits-enfants. Un de ses petits-fils avait trente ans.

Au prix de gros efforts, il s'assit à l'abri du mur. Lorsqu'il allongea ses jambes devant lui et croisa les pieds, l'ombre du mur lui arrivait à mi-cuisses. C'était une bonne chose. Tout le haut de son corps était bien au frais et il poussa un soupir de satisfaction.

« Eh oui, dit-il. C'est effrayant de voir à quel point on peut perdre ses forces. »

Il fouilla maladroitement dans sa poche à la recherche de sa pipe. Elle s'était entortillée dans son mouchoir, si bien qu'il tira les deux ensemble, entraînant à leur suite tout ce qui se trouvait dans la poche en question. Il laissa le mouchoir tomber à côté de lui dans l'herbe qui poussait au pied du mur. Puis de l'autre poche de son gilet il sortit son canif. Il passa plus de deux minutes à tenter de l'ouvrir et finit par y parvenir en coinçant le bord de la lame contre l'arête aiguë d'une pierre dans le mur.

« Houp là ! s'écria-t-il tout content. Je suis pas encore mort. Fallait y penser, vieux malin que je suis. »

Puis il se mit à nettoyer le fourneau de sa pipe. Il souffla dans le tuyau. Un sifflement retentit. La voie était dégagée. Posant la pipe à côté de lui dans l'herbe, il chercha dans ses poches l'once de tabac qu'il venait d'acheter. Impossible de la trouver. Il ôta son chapeau pour regarder à l'intérieur, sans succès, même en fourrant les doigts sous la doublure et en tâtant un peu partout. Il ouvrit son gilet, puis sa chemise. Il se passa les mains sur la poitrine. Le tabac avait disparu. Soudain, il s'énerva et voulut se remettre debout en criant :

« C'est cette voleuse qui me l'a pas donné. Elle a pris l'argent et gardé le tabac. » En cherchant à se relever, il posa la main sur le mouchoir qu'il avait fait tomber. Il sentit dessous une bosse dure. « Ha! s'écria-t-il. Le vlà! Elle est bien bonne! »

Il se rassit donc, mais pour y parvenir il dut faire un tel effort qu'il délogea le tabac et retomba dessus. Lorsqu'il examina le mouchoir, il n'y trouva rien.

« Ah! par ma barbe! Y a quelque diablerie là-dessous. »

Il commença à se gratter la tête, puis il se remit à chercher son tabac, tapotant l'herbe de son bâton et la griffant de ses mains.

Une vieille femme nommée Mary Kane, qui passait dans le sens opposé, s'arrêta pour l'observer. À soixante-dix ans, elle était encore très ingambe. Son visage était aussi ridé qu'une vieille pomme, mais elle conservait toutes ses facultés. Elle portait des bottines à talons très hauts. À l'évidence, elle avait eu jadis de fort belles jambes et son maintien était celui d'une femme qui avait été dans le temps une vraie beauté. Elle était drapée dans un châle de cachemire qui lui pendait dans le dos en triangle, presque jusqu'au sol, la pointe touchant ses talons. Malgré la chaleur, elle l'avait ramené sur sa tête de façon à avoir le visage en partie caché.

Elle s'arrêta devant le vieillard, puis, le reconnaissant, elle repoussa son châle et leva les deux bras en un geste exagéré.

« Dieu me bénisse! s'écria-t-elle. Mais c'est Michael Doyle, ma parole. Ah! bigre, comment que tu vas, mon frère? »

Le vieil homme leva lentement la tête, s'abritant les yeux de la main, et répondit :

« Dieu et Marie te protègent. De quel village que t'es?

— Mazette! Tu me reconnais donc pas? dit-elle.

— Peuh! fit le vieux. Je connais plus personne à cette heure. Même qu'on se moque de moi, pour sûr. De quel village que t'as dit?

— Tu vas quand même pas me faire croire que tu reconnais pas Mary Kane?

— Oh oh! dit Michael. Voilà donc qui t'es? Par ma foi! Et comment se portent tous les tiens?

— Ah, vieux coquin que tu es, s'écria-t-elle. Comme si tu savais pas fort bien que je vis seule et que j'ai plus de famille, que Dieu nous vienne en aide?

— Oh oh! repartit l'autre. Sur ma foi, je te connais ni d'Ève ni d'Adam.

— Oh! fit la vieille en écartant tout grands les bras. Quel rusé que celui-là! Et c'est quoi que tu cherches, si on peut le savoir?

— Hein? Pourquoi que je chercherais quelque chose?

— Oh, je t'ai vu tripoter l'herbe.

— Par ma barbe, les étrangers sont bien curieux. Et pourquoi donc que tu me surveilles?

— T'es un vieux diable aigri, Michael Doyle.

— Et pourquoi je serais pas aigri, alors que je viens de perdre mon tabac?

— Ouiche! dit-elle en coinçant les bras contre ses hanches pour se secouer avec violence. Pour sûr que je savais bien que t'avais perdu quelque chose, et que tu le cherchais à tâtons, comme un nouveau-né, que Dieu te vienne en aide; tu retombes en enfance, mon vieux, toi qu'étais l'orgueil de la paroisse.

— Par ma barbe, dit-il, qui que tu sois, t'as la langue bien pendue. En tout cas, c'est plus fort que de jouer au bouchon. Je l'avais dans la main y a pas plus d'une minute. Et voilà que le diable me l'a avalé.

— Laisse-moi chercher, dit-elle.

— Cherche donc, dit-il. T'en trouveras pas une miette. »

La vieille femme fouilla l'herbe d'un regard acéré.

« C'est quoi ça ? dit-elle en ramassant un bouton. Il est tombé de ton gilet ? »

Il contempla l'objet, les yeux plissés.

« C'est un bouton, dit-il. Je l'ai trouvé et je le garde pour un de ces vauriens. Ils aiment beaucoup les boutons. Alors je les mets de côté et je les donne aux gamins. Comme ça, ils me font mes commissions. C'est moins cher que de leur donner des pennies.

— Pas plus de tabac que sur ma main, constatat-elle. Dieu m'est témoin qu'à mon avis t'es assis dessus. Bouge donc tes vieux os. »

Elle le poussa un peu plus loin et découvrit le tabac, à moitié enfoui dans l'herbe. Triomphalement, elle le brandit sous le nez du vieux. Il le lui arracha sans un mot de remerciement. Ayant retrouvé son canif, il se mit à rogner un peu de tabac dans la paume de sa main. Elle s'assit à côté de lui, sur ses talons. Sans lui prêter la moindre attention, il commença à remplir sa pipe. Elle le dévisagea attentivement, les lèvres retroussées sur ses dents, les yeux rétrécis, à la façon de ces gens qui ont l'habitude de regarder la mer très loin vers le large. Puis elle déclara :

« Et maintenant, dis-moi donc, sur ton âme, Michael, tu me reconnais pas ? »

Il la regarda d'un œil torve et répondit :

« Par ma barbe, pour ce qui est de jacasser, tu te poses là, bonne femme.

— Mais, ma parole, c'est vrai qu'il me reconnaît pas, dit-elle d'un ton plaintif. Ah ! que la vie est cruelle ! Vlà cinq ans que je t'ai pas vu, Michael, et à cette époque tu me reconnaissais, même si tu m'as tout juste saluée d'un signe de tête maussade, comme tu l'avais toujours fait depuis mon mariage. Tous les malheurs que j'ai endurés ont pas suffi à te radoucir. Et maintenant, t'as complètement perdu la mémoire. Telle l'herbe d'un champ inondé, elle est engloutie sous le poids des ans. Ah! pour sûr que ça me brise le cœur de te voir comme te voilà, tout racorni comme un buisson déraciné. Moi qui me rappelle encore le temps où t'avais le crâne couvert de boucles d'or, où tes yeux étincelaient comme la mer quand le soleil y donne en plein. Ah! pauvres de nous ! La mort devrait venir tôt aux malheureux. Faut être bien niais pour pleurer sur un jeune cadavre. Car c'est un spectacle impie que tu offres aujourd'hui, tout bancal et incapable de me reconnaître. »

Sans prendre garde à ce qu'elle disait, le vieillard frotta une allumette, la porta à sa pipe et téta le tuyau, émettant un fort bruit de succion chaque fois que ses joues creusées se distendaient. La pipe émit un nuage de fumée. Quand elle fut bien allumée, il jeta l'allumette, cracha et s'essuya la bouche sur sa manche. Chacun de ses mouvements était disgracieux. Pourtant, la vieille femme le regardait avec une curieuse nostalgie au fond de ses yeux délavés.

« Tu parles sans rime ni raison, la femme, dit-il d'un ton lugubre. Qui t'es, de toute façon ? Tu viens d'un village éloigné, à ce que je pense. »

La vieille femme ramena son châle autour de sa tête et fit entendre un reniflement. Elle porta un coin de son tablier à ses yeux. Retirant la pipe de sa bouche, le vieux la dévisagea attentivement. Puis il cracha, marmonna quelque chose et tira son chapeau un peu plus bas sur ses yeux. La vieille femme commença à se balancer doucement.

« Je suis pas comme toi, moi, dit-elle, ma mémoire

s'aiguise avec l'âge. Comme un nerf malade, elle me poignarde au moment où je m'y attends le moins et alors je rêvasse tristement en passant la revue des années écoulées. Pour sûr, je revois le premier jour où j'ai posé les yeux sur toi aussi clairement que je vois l'ombre noire du mur ici même sur la route. J'étais en train de traire les vaches quand t'es passé à cheval, un soir. Tu m'as lancé ta bénédiction et j'ai levé les yeux. Alors t'as arrêté ton cheval et on s'est mis à causer, et je t'ai donné du lait tiède à boire à même le bidon. Mazette! Et aussitôt je suis devenue tienne. Tu te rappelles pas cette soirée?

— Oh oh! fit le vieux. De quelle soirée que tu me causes?

— Mazette, tu te souviens pas qu'on se retrouvait sur la colline qui domine la demeure de mon père; moi, je remontais le petit sentier en courant après la tombée de la nuit et tu m'attendais en haut?

— Peuh! dit Michael. Que le diable m'emporte si je me rappelle rien de pareil! Enfin, voyons. Je sors pratiquement jamais de la maison. Alors tu penses comme je t'attends!

— Pour sûr que c'est pas d'aujourd'hui, ni même d'hier que je te parle, dit-elle, c'était y a cinquante-quatre ans. Je m'en souviens parfaitement. J'avais seize ans et tu venais tout juste d'en avoir vingt-trois. Pauvre bougre, à force de boire et de te bagarrer voilà que t'es devenu un vrai infirme.

— Crénom! Tiens donc ta langue, dit-il. Où que t'as pris que je buvais? Quelques pintes par-ci, par-là. Un verre de whiskey à l'occasion.

— Que Dieu te pardonne, dit-elle. T'es allé quatre fois en prison, sans parler de la fois où t'es venu avec des parents à toi m'enlever de chez moi par la force, et où t'as si bien rossé Ned Kane avec ton bâton qu'il a passé trois mois à l'hôpital et toi six en prison.

— Qui ça ? Moi ? lança-t-il en sortant la pipe de sa bouche pour dévisager fixement la femme. Moi en prison ? Et pourquoi ?

— Pour avoir manqué tuer Ned Kane à coups de bâton la nuit où tu m'as enlevée. »

Soudain le visage du vieil homme s'éclaira d'une lueur de lucidité. Il ouvrit la bouche et se frappa lourdement le genou du plat de la main.

« Ouiche ! dit-il avec emphase. Ned Kane. Je me rappelle cette sale canaille. Ah ! sapristi, que le diable l'emporte. Si je l'ai frappé, c'est qu'il le méritait. Une sale canaille de la tête aux pieds. Par ma barbe, oui, je l'ai rossé, en effet, et bien rossé. »

À tâtons, il chercha sa canne, la saisit et s'écria tout excité :

« Sur mon âme ! je me moque bien de savoir qui m'écoute, je vais quand même te dire ceci : dans le temps je pouvais terrasser à mains nues n'importe lequel de nos paroissiens qui avait sucé le lait de sa mère.

— Mais, voyons, tu te souviens pas du soir où t'es venu chez moi ?

— Hein ? » fit le vieux.

Il se gratta la tête, sans cesser de dévisager la femme intensément de ses yeux larmoyants. Puis peu à peu il reprit son air abruti et dit :

« Ma foi, figure-toi que tu m'as tout chassé du cerveau à force de jacasser. Crénom ! cette chaleur me donne le tournis. Et du coup on arrête pas de se moquer de moi. Je pose mon chapeau et devant Dieu je te jure qu'une minute plus tard j'arrive plus à le retrouver.

— Ah ! que Dieu te vienne en aide, mon pauvre, dit-elle d'un ton las. Mais pour sûr que c'est moi qui suis le plus à plaindre. Peut-être bien que si je t'avais eu quand on était jeunes, ce serait pas le cas. Y aurait le soin des enfants pour adoucir le poids des ans. C'est comme ça. Je revois chaque moment de l'affaire comme je te vois, tout ça me cuit comme une ampoule. Ce soir-là, t'es venu avec ton oncle et deux hommes de ton village demander ma main et mon père t'a montré la porte. "C'est'y que je vais donner ma fille à un ivrogne qu'a même pas une chemise sur le dos ?" qu'il a dit. On avait quatre vaches à l'époque, on était riches, et tout le monde savait que j'avais trente arpents de terre et du bétail et deux cents souverains d'or en dot. Voilà pour moi. Mais c'était à Ned Kane qu'il voulait me donner et c'est Ned que j'ai épousé en dépit de tout.

— Sacrédié, fit le vieux, irrité, vlà ma pipe qui s'est éteinte.

— Laisse-la donc, dit-elle, et écoute-moi. Même si tu t'en souviens pas, ou si tu fais semblant de pas t'en souvenir, je saurais pas dire, je vais te confier la vérité maintenant, parce que c'est la première fois que j'en ai l'occasion depuis toutes ces années. Quand ils ont voulu me marier à Kane, je suis venue te prévenir, et toi, t'as dit que c'était toi qui me prendrais, même si le diable était assis à mon chevet. Et voilà. Ned Kane est arrivé avec sa famille ; ils étaient chez nous, occupés à conclure les épousailles, quand brusquement y a eu un bruit de sabots au-dehors et on a entendu ta voix. Il faisait nuit noire. "Sors de là, Ned Kane, que t'as dit, ou sur ma foi tu ressortiras les pieds devant." Ton oncle, Peter Timoney, était avec toi, et aussi Simon Grealish et Hugh Rody, et d'autres encore. Et puis t'as enfoncé la porte et cogné sur tout ce que tu voyais. On a jamais entendu, ni avant ni depuis, un boucan pareil. Ensuite, t'es entré de force dans la pièce où je me trouvais avec ma mère et les femmes. Ma mère t'a marqué avec les pincettes, mais cette nuit-là rien pouvait t'arrêter. Et Dieu sait que moi, de mon côté, j'étais contente de déguerpir. Tu m'as fait monter en croupe sur ton cheval, mais quand on a réveillé le prêtre à l'aube, pour sûr qu'il a refusé de nous marier. Et puis la police est arrivée, alors qu'on se cachait dans la maison de ton oncle, et tous les hommes ont été arrêtés. Et moi, on m'a ramenée chez nous. Oh! quelle nuit que cette nuit-là! Et tu voudrais me faire croire, Michael Doyle, que tu t'en souviens pas? »

Le vieillard, qui portait au fourneau de sa pipe une allumette enflammée, suspendit son geste. Il leva les yeux vers la femme, puis, sans rien dire, il tira sur sa pipe et l'alluma avant de jeter l'allumette.

« Les gens causent beaucoup de moi et de toutes mes bagarres, dit-il. On arrête pas de me les jeter à la figure. Mais si tu m'en crois, j'étais pas pire que les autres. »

Il se mit à grommeler tandis que la vieille femme poursuivait son récit.

« On t'a mis en prison après ça, dit-elle, et quand Kane est sorti de l'hôpital, on nous a mariés. Qu'est-ce que je pouvais faire? Pour sûr que c'était pas de mon plein gré, mais à mon corps défendant. Je t'aurais suivi n'importe où. Je pleurais comme une madeleine en ce temps-là, mais y avait rien à faire. Et toi, Dieu te pardonne, c'est à moi que t'en as voulu. Depuis, j'ai connu une longue existence de malheur et de solitude, avec Kane qui buvait et qui dépensait tout ce qu'il y avait, tout ce qui lui tombait sous la main, jusqu'à ce qu'il meure de maladie. Aucun enfant est venu bénir mon foyer et à présent il me reste plus un seul parent pour ainsi dire. Ainsi va la vie. Même toi, tu me restes pas; il me reste rien que le souvenir triste, si triste d'un amour étouffé au berceau. »

Elle sanglotait en se balançant d'avant en arrière, le châle tiré loin sur ses yeux. Le vieil homme ne cessait de s'agiter, la contemplant de temps à autre et marmonnant dans sa barbe. Il finit par dire :

« Pauvre femme, t'as ton chagrin.

— Oh oui, dit-elle. C'est un fardeau que je porte toujours avec moi. Et de parler ainsi, ça l'a rendu encore plus lourd. Je regrette bien de pas avoir passé mon chemin. »

Elle se releva, se secoua et mit de l'ordre dans les plis de son châle. Elle s'essuya les yeux avec son tablier, puis repoussa son châle pour regarder le vieux. Elle avait les yeux rouges, les lèvres tremblantes.

« Tu vas donc pas me dire un mot gentil, demanda-t-elle, avant que je reprenne ma route ? »

Il leva vers elle deux yeux hébétés de gâtisme.

« Dieu te bénisse ! dit-il.

— Et toi aussi, Michael, répondit-elle. Puisses-tu reposer en paix ! »

S'étant détournée, elle s'éloigna, le châle plié en pointe, ses talons hauts claquant avec un bruit sec sur la chaussée. Il la suivit des yeux, en tirant lentement sur sa pipe.

Sa physionomie fripée paraissait avoir perdu toute trace d'intelligence humaine. Il avait l'air d'un singe. Au fond de ses yeux chassieux, ridés comme ceux d'un gorille, il n'y avait pas la moindre lueur.

« Peuh ! fit-il au bout d'un moment. Qu'est-ce qu'elle racontait cette pauvre femme ? »

Il resta assis quelques minutes encore, la bouche grande ouverte, comme s'il tentait de se remémorer quelque chose. Mais son esprit était tout à fait vide. Puis il se remit debout tant bien que mal et rentra chez lui à pas lents, foulant l'herbe au pied du mur, dans l'ombre.

L'inondation

Le fleuve se gonflait d'eau en silence. Une pluie drue tambourinait doucement sans trêve. Sur les rives, les saules prenaient de la corpulence à mesure que leurs troncs disparaissaient sous l'eau. Des tourbillons émettaient de soudains bruits de succion lorsque la panse du fleuve, de plus en plus rebondie, cherchait à s'infiltrer sous l'arche du pont. Bouchons, bâtons et feuilles fonçaient en tournoyant au fil de l'eau, disparaissant et reparaissant. À l'aube on ne voyait plus que l'extrémité des roseaux.

Puis, les roseaux disparurent à leur tour. Le fleuve sortit de son lit et se répandit parmi les racines nues et brunes des arbres, envahissant les champs de chaque côté. De part et d'autre du pont l'écume s'amoncelait et des courants rapides filaient à la base du mur de brique. Ils grossirent très vite du fait que l'arche barrait la route à l'excès d'eau qui gonflait le fleuve, l'envoyant bouillonner à droite et à gauche. Les champs furent peu à peu submergés.

Ce fut alors une immense fuite de tout ce qui vivait.

Dès que la froide lumière grise du soleil d'automne eut dissipé les ténèbres de la nuit, des formes de vie apparurent par myriades à la surface verte et inégale des champs, rampant et se ruant dans la terreur, fuyant l'eau du fleuve qui approchait sans un bruit, à l'exception d'infimes clapotis, et grignotait la surface du sol en se propageant à travers l'herbe clairsemée et l'ivraie.

L'exode commença aux rives du fleuve, mais il gagna rapidement du terrain, suivant la pente douce des champs. Chaque minuscule insecte en fuite dérangeait son voisin jusqu'au moment où la surface de l'herbe ne fut plus qu'une masse de corps en mouvement, des corps noirs, bruns et verts, qui se tortillaient, se ruaient, se contorsionnaient dans les formes variées et pénibles de leur fuite.

Vers où? Ici et là, allant et venant, déroute ignorante et frénétique d'êtres microscopiques. Ils se débattaient aveuglément. Griffaient, mordaient, écrasaient sans pitié. Chacun pour soi. Ils se heurtaient aux racines sans prendre garde, mutilant leurs pattes ruisselantes de pluie. Renversées en voulant s'engouffrer dans un étroit chenal entre deux épaisses racines, une vingtaine d'espèces différentes gisaient sur le dos, fouettant l'air humide de leurs membres minuscules, tandis que les autres, rampant ou courant, leur passaient sur le corps. Les tiges solides des hautes herbes devenaient des tours qu'escaladaient des centaines d'insectes pour échapper à l'eau. Délogés du sommet de ces tiges, des corps grouillants fendaient l'air pour retomber vers le champ et la mort comme du haut d'un précipice vertigineux.

Le fleuve se gonflait d'eau. Les rives avaient disparu. Les crues recouvraient les champs des deux côtés. Seules affleuraient ici et là, semblables à des îles, des crêtes d'herbe verte, couvertes d'une horde enfiévrée

d'insectes qui, toute retraite leur étant coupée, atten-
daient insensiblement l'approche inévitable des eaux,
en se combattant et se dévorant les uns les autres.

Parmi l'écume et les débris qui flottaient sur l'eau,
des masses d'insectes noyés passaient en tournoyant,
morts, mourants, écartelés.

Chaque petit bout de bois, chaque détritus flottant
était un radeau peuplé d'êtres féroces qui luttaient
pour leur vie, s'insinuant dans les interstices, se cramponnant en silence.

Les débris étaient emportés sur les eaux. Ils s'arrê-
taient au pont, entraînés vers la gauche ou la droite par
les courants tourbillonnants. Ceux-ci les déposaient en
tas de chaque côté du pont, contre le mur de brique.
Des bouts de bois entremêlés d'écume jaune et verte y
formaient une plate-forme et chaque bulle de mousse
qui suivait la lente progression des eaux sur les champs
s'y précipitait pour l'accroître. Une muraille d'écume
jaunâtre s'éleva peu à peu autour de chaque plate-
forme.

L'une après l'autre, des cargaisons d'insectes étaient
transportées jusqu'à ces murailles par le courant.
Certaines brindilles étaient happées par des remous
sous la surface et aspirées au fond de l'eau, causant la
noyade de tous ceux qui se trouvaient à bord. D'autres
allaient se coller à l'extérieur de la muraille et les
insectes affaiblis, empêtrés dans l'écume, périssaient
d'épuisement. Seuls les plus gros morceaux de bois
s'enfonçaient droit dans la masse de débris avec leurs
passagers intacts.

Commençait alors une lutte titanesque. Une multitude d'insectes s'efforçaient d'escalader le mur de
brique. Ceux qui avaient des pattes se lançaient
d'abord à l'assaut, s'agrippant aisément à la surface
des briques. Les premiers plongeaient immédiatement

dans les fissures, lesquelles finissaient par être combles. La masse des arrivants se propageait donc plus haut. Le mur était noir de créatures vivantes entraînées dans une ruée éperdue.

Les insectes verts et rampants ne parvenaient pas à trouver prise sur le mur. Ils étaient trop lents. Se cramponnant par la queue à leurs brindilles, ils soulevaient la tête en se dévissant le cou, puis ils partaient vers l'avant, tapotant la brique d'un nez incertain. Mais le mouvement du courant ne laissait les brindilles stationner qu'un seul et bref instant contre le mur avant d'en être aussitôt écartées. Si bien que les serpents verts, cherchant le mur à tâtons, perdant l'équilibre quand la brindille repartait en sens inverse, tombaient à l'eau et se noyaient. Les débris bouillonnants étaient une masse vivante de bestioles vertes qui se tordaient en tous sens, créatures étranges, à demi formées, primitives, dressant la tête avec désespoir.

La pluie cessa à midi, mais le fleuve continua de s'enfler, drainant l'excès d'eau des terres voisines. Les crues grossirent encore. Les insectes furent chassés vers le sommet du mur de brique. Ils se hissèrent toujours plus haut, tant bien que mal, pour former sous la crête de ciment une ligne longue et épaisse, sorte de vivante démarcation.

Sur les myriades d'êtres qui s'étaient enfuis dans la nuit, seuls quelques milliers avaient pu se sauver. Parmi ces survivants, certains moururent d'épuisement et de faim au cours de la journée. Lâchant prise, ils tombèrent à l'eau. D'autres, que la faim rendait fous, grimpèrent par-dessus le mur et descendirent sur la route qui se trouvait au-delà, ce qui leur valut de périr noyés eux aussi dans l'eau qui la recouvrait. Mais le reste se maintint sans bouger sous la crête, le ventre étroitement collé contre la brique, couvant avec avarice chaque parcelle de vitalité qui leur restait dans leur grand combat instinctif contre l'inondation.

À minuit, la crue atteignit son apogée. Elle commença alors à refluer vers le lit du fleuve. Le lendemain matin un soleil éclatant se leva. La crue diminua tout au long de la journée. Au coucher du soleil, on vit apparaître les rives. Le lendemain matin il n'y avait plus d'eau dans les champs. Après son coup de folie, le fleuve coulait, maussade, entre ses rives dévastées.

Alors les insectes sortirent de leur refuge. Lentement, prudemment, ils descendirent le long du mur jusque dans les champs détrempés. De retour sur la terre ferme, parmi les herbes, les racines, l'ivraie qu'ils connaissaient si bien, ils s'activèrent comme des furieux, en quête de nourriture et de forces.

De toutes parts, des hordes d'insectes avançaient vers le fleuve, dans le sillage des crues, dévorant la riche manne qui défigurait tel un impétigo la surface de la terre.

La chèvre salée

Les paysans de Kilmillick sont de curieuses gens. Leur village est le plus reculé et le plus primitif de l'île d'Inverara. Jamais le moindre étranger n'y pénètre à l'exception d'un Juif de temps en temps, qui vient y colporter de méchantes toiles, ou d'un archéologue désireux de fouiller pics et vallées pour y trouver des traces de leurs habitants préhistoriques. L'endroit est si proche des hautes falaises et de l'Atlantique que les goélands vont souvent se poser sur les toits du village pour dévorer les poissons qu'ils viennent de pêcher, et en hiver l'écume marine s'abat comme de la neige sur les cahutes. Si bien que les villageois aux visages tristes sont paisibles et s'adonnent à la pratique de curieuses superstitions.

Parfois surviennent au village des événements étranges : on raconte, par exemple, que la vache rousse de Mick Hermon a mis bas un veau affublé d'une queue de poisson et que les fées ont arraché un nouveau-né des bras de la vieille Mrs Derrane, alors qu'elle le nourrissait au coin du feu de sa cuisine. Mais, bien entendu, il n'est pas impossible que la vieille Mrs Derrane ait été légèrement éméchée quand l'enfant est tombé dans le feu; et le vent qui est entré en trombe par la porte au même instant n'a rien d'inhabituel à Kilmillick, où les collines environnantes provoquent souvent des courants d'air capricieux. Quant au veau, il n'est pas impossible non plus qu'il soit né prématurément. En revanche, il ne fait aucun doute que l'incident de la chèvre salée de Patsy Halloran a eu pour témoins non seulement les paysans du village mais aussi le curé de la paroisse et le sergent de police, lesquels se sont tous portés garants de sa véracité.

Halloran vivait tout seul à l'est du village, dans une chaumière en ruine. Au milieu du toit, le chaume pourri s'effondrait vers l'intérieur au point que les cordes qui l'entouraient se trouvaient à plusieurs pouces de la paille. La porte en bois nu était vérolée par les traces des pierres que les galopins du village avaient lancées contre elle; en effet, Patsy étant vieux et pauvre et n'ayant pas le moindre parent influent, ils avaient coutume de le persécuter. Le haut de la porte pendait vers l'extérieur, arraché de son gond. Les murs de pierre, jadis blanchis à la chaux, avaient désormais jauni par grandes traînées et l'on voyait les bandes de mortier affleurer entre les pierres. L'unique vitre de l'unique fenêtre était cassée et consolidée par un morceau de toile à sac. Et la cheminée trapue en pierre était le refuge des étourneaux et des oiseaux marins, en sorte que bien souvent une tête de roussette s'y trouvait perchée comme au bord d'une mer déchaînée.

Il n'y avait qu'une seule pièce, où Patsy dormait, mangeait et se tenait, meublée d'un lit en bois bas sur pattes dans un coin, d'un buffet face à l'âtre et d'une petite table entre le buffet et le lit. Et puis il y avait Patsy lui-même et la chèvre jaune. Celle-ci vivait dans la cabane et Patsy n'avait qu'elle pour toute compagnie, car les villageois ne lui rendaient jamais visite et n'avaient avec lui aucun commerce, se bornant à lui donner le bonjour quand il s'en allait voir les six moutons qu'il faisait paître sur dix arpents de terre en haut du large rocher au sud de la Falaise jaune ou qu'il s'en revenait. Les paysans appelaient ce lieu le Rocher de Myles, parce que, disait-on, un certain Myles des temps préhistoriques y avait étranglé un serpent de mer sorti des flots pour le dévorer.

Personne au village ne savait depuis quand la chèvre jaune habitait la cabane, du fait que les paysans n'avaient qu'une vague idée du passage des ans. Ils prétendaient que la chèvre se trouvait là depuis l'année où le cheval de Stephen Feeney était mort de soif. Mais quelle était cette année, personne ne s'en souvenait. La chèvre, n'ayant pas eu de chevreau, n'avait jamais fourni à Patsy une goutte de lait, si bien qu'il devait faire appel à la charité d'une vieille voisine qui lui donnait un peu du lait de sa vache pour colorer son thé. Cette femme faisait toujours le signe de croix en quittant la chaumière de Patsy, convaincue que la chèvre était un esprit malin. Et l'on ne pouvait lui donner tort, à cette malheureuse, car la bête avait au fond de ses prunelles jaunes une singulière expression, une lueur qu'on aurait pu voir chez quelque sage vieux philosophe qui, sachant le monde plein de chagrin et de sottise, se tient à l'écart, flegmatique, tandis que le reste de l'humanité s'agite, obnubilé par des futilités. Cela dit, chacun sait que toutes les chèvres ont cet étrange regard et sous ce rapport celle de Patsy n'avait rien d'anormal. Sous les autres non plus d'ailleurs, qu'il s'agît des longs poils jaunes collés de crasse qui lui couvraient les hanches, ou de cette façon qu'elle avait de se dresser sur ses pattes de derrière pour tirer le loquet de la cabane quand elle voulait entrer ou sortir, ou de sa manie de se frotter contre les jambes de Patsy lorsqu'il était assis au coin du feu. Toutes les chèvres apprivoisées sont ainsi. La vieille voisine, cependant, rapporta tout cela aux autres villageoises, lesquelles, s'étant concertées, déclarèrent que la chèvre était l'esprit de l'épouse de Patsy, morte un an avant qu'il n'acquît la bête. Et les villageois s'esclaffèrent, disant que le vieux Patsy n'avait plus toute sa tête et qu'il ne fallait pas aller chercher plus loin.

Il ne faisait aucun doute, au demeurant, que Halloran était un tantinet détraqué depuis pas mal d'années. D'ailleurs, qui n'aurait pas l'esprit dérangé à force de vivre tout seul comme lui au village de Kilmillick ? Mais sa folie se rapprochait davantage de celle des ermites d'antan qui s'en allaient, vêtus de sac et de cendres, vivre au fond d'un désert parmi les bêtes et les oiseaux sauvages que de celle des gens sains d'esprit qui font souffrir leur prochain par ruse et par cupidité. Le matin, rouges-gorges, merles, moineaux, étourneaux, venaient à sa porte chercher à manger, se perchant sur sa main et sur son vieux chapeau cabossé qu'un cordon noué sous le menton fixait sur sa tête. Et même quand les petits garçons lui jetaient des pierres et le suivaient en bêlant comme des chèvres, il les réprimandait gentiment sans jamais se mettre en colère. Un jour, cependant, il s'emporta bel et bien et administra une solide raclée au fils de Tim Hernon quand il le surprit en train de tourmenter la chèvre jaune près de sa chaumière. Le petit gueux avait renversé l'animal sur le dos et il était en train de lui passer une ficelle autour de la patte postérieure, cherchant à la faire pénétrer dans la peau afin qu'il fût impossible de l'enlever tant que la bête n'aurait pas perdu la patte. Mais en dehors de cet épisode, Patsy était la bonté même. Sa démence se manifestait dans l'habitude qu'il avait de se parler tout seul ou de parler à sa chèvre, et quand il suivait la route il lui arrivait souvent de ramasser un caillou, de cracher dessus et de le jeter par-dessus sa tête. Lorsqu'il allait chercher de l'eau au puits, il en faisait trois fois le tour, tête nue, avant de tirer un seau, et lorsqu'il était assis en fin de soirée sur son tabouret à trois pieds devant le petit feu de tourbe qui se mourait dans son âtre, il lui prenait parfois fantaisie de découvrir brusquement ses dents jaunes et d'éclater d'un rire sonore sans la moindre espèce de raison. Ensuite, tout aussi soudainement, il se frappait la poitrine et fondait en larmes. Dans ces moments-là, la chèvre jaune se frottait contre ses jambes, poussant des petits cris désolés, et d'ordinaire elle le réconfortait. Halloran la regardait, en caressant la barbe grisonnante qui cachait le bas de son long visage ridé, jaune comme un parchemin, lui descendant à mi-cou, puis il hochait la tête. Ensuite il empoignait à deux mains son oreille gauche, atrophiée au point d'être à moitié moins grande que la droite, et il disait à la chèvre : « C'est de là que vient tout le mal, Peg ; c'est cette oreille qui en est la cause. »

Et puis, par une nuit d'hiver, alors que les grandes vagues de l'Atlantique faisaient une musique sauvage en fouettant les falaises vertigineuses, que le vent d'orage bramait sur les rochers, poussant devant lui une myriade de bulles d'écume comme autant de fleurs arrachées à quelque jardin céleste, et que les oiseaux marins tournoyaient au-dessus du village en piaulant, Patsy se réveilla en sursaut. Il avait entendu dans son sommeil la chèvre hurler. Il l'appela sans obtenir de réponse. Alors, en toute hâte, il alluma une chandelle et, quand la lueur vacillante se répandit dans la cuisine, il vit la vieille bête qui haletait, allongée sur le flanc au milieu de la pièce. Elle était en train d'expirer et ses yeux jaunes le regardaient tristement. Et puis, comme si elle avait attendu de pouvoir le contempler une dernière fois, elle émit un ronflement, essaya de geindre, ses pattes se raidirent et elle s'immobilisa. Elle était morte.

Halloran resta longtemps à la regarder, en chemise, la chandelle à la main. Sur son visage jaune, qu'éclairait la flamme, se lisait une expression pitoyable. « Ah! marmonna-t-il, ah! ah! Maintenant, il ne me reste plus rien. Plus rien du tout. » Il s'assit en frissonnant au bord de son lit et resta ainsi jusqu'à ce qu'il fît grand jour. Puis il se vêtit, sortit de ses gonds la porte de sa cabane et la posa sur le sol. Il y plaça la chèvre pour l'écorcher. Il la découpa en petits morceaux qu'il mit dans une bassine et couvrit de sel. Il installa la bassine devant l'âtre, remit la porte sur ses gonds et la verrouilla. Au moyen d'une planche il boucha la fenêtre de l'intérieur, de façon à empêcher toute lumière de pénétrer chez lui. Puis il s'assit sur son tabouret à trois pieds pour contempler la bassine où se trouvait sa chèvre.

Il resta quatre jours ainsi, jusqu'à ce qu'il eût consumé toute la tourbe qu'il avait dans sa chaumière et mangé toutes ses provisions. Il avait encore un peu de tourbe, de pommes de terre et de poisson séché dans l'appentis fixé au pignon est de sa maison, mais il ne voulut pas sortir les chercher. Il ne voulut pas non plus ouvrir sa porte à la vieille femme qui venait lui apporter son lait tous les soirs vers la tombée de la nuit. « Si je quitte Peg, les fées vont me l'emporter », se disait-il. Et la vieille femme songeait de son côté : « Le vieux Patsy est en courroux, il vaut mieux ne pas l'approcher pendant quelque temps. »

Et elle resta en effet une semaine entière sans venir. Le premier homme à se présenter chez Halloran fut le curé de la paroisse, cherchant à le persuader d'aller à confesse. Il frappa à la porte sans recevoir de réponse. Il appela à grands cris. Rien. Il alla se renseigner auprès de la voisine. Non, cela faisait quinze jours qu'elle n'avait pas vu Patsy. Le prêtre retourna à la chaumière, suivi par la vieille femme et quelques voisins, et il força la porte. La cuisine était dans un désordre épouvantable. Chacune des pièces du mobilier, y compris le lit, avait été brûlée. Tout sauf la bassine devant l'âtre. Avec, à côté d'elle, Halloran, raide mort.

Quand le sergent de police arriva, il découvrit un morceau de couverture entre les dents du défunt. « Le pauvre bougre est mort de faim », déclara-t-il.

Mais les villageois jurent que la chèvre était un diable auquel Patsy s'était vendu.

La chienne blanche

Un paysan et sa femme cheminaient le long des rochers en direction des falaises. Une petite chienne blanche courait devant eux, agitant la queue, la truffe contre le sol, chassant les lapins. De temps à autre, elle s'arrêtait, levait une patte de devant et humait l'air. Elle avait une tache noire sur le flanc droit et une autre sur l'oreille gauche.

Le paysan avançait les mains jointes derrière le dos, contemplant le sentier. Sa femme marchait derrière lui, en tricotant. Tant qu'ils ne furent pas arrivés tout au bord de la falaise, ils n'échangèrent pas une parole. Alors le paysan cracha dans la mer, remonta sa ceinture et déclara : « Ma foi, au nom de Dieu, m'est avis qu'il va bien falloir faire ce qui doit être fait. Ici, Topsy. Viens ici, Topsy. Bon chienchien. »

La femme détourna le regard et se frotta les yeux au coin du châle drapé autour de son cou et de ses épaules. La chienne arriva au galop, claquant des dents à l'intention d'une guêpe qui tournoyait autour de sa tête. Elle se coucha sur le ventre aux pieds du paysan, levant vers son visage deux yeux humides. Il se pencha et la saisit par la peau du cou. Elle se laissa rouler sur le flanc, mit ses deux pattes autour de sa main et la lécha. Puis elle se mit à geindre et à trembler.

L'homme lâcha prise et se redressa. « Au diable toute cette histoire, je peux pas la noyer ! lança-t-il. T'es une vraie diablesse de femme de me demander ça. »

La femme tapa du pied et lui agita son tricot sous le nez. « Hé ! dis donc, qu'est-ce que tu dégoises ? riposta-t-elle. Pourquoi que tu vas pas gagner sept shillings et six pence pour payer sa taxe, dans ce cas ? Si t'avais pas bu tout l'argent du cochon, t'aurais de quoi la payer à présent, la taxe de la chienne. »

L'homme se mit à jurer en faisant les cent pas. La chienne rampait à sa suite, en lui léchant les jambes. « On pourrait pas vendre un boisseau de patates au maître d'école ? finit-il par dire. Il me demandait justement l'autre jour…

— Dis donc pas de sornettes, grand nigaud. De quoi ils vont vivre, nos deux jeunes cochons ? Allez, jette-la, reste pas planté là comme une vieille femme. »

L'homme se gratta la tête et cracha de nouveau. « La peste soit de la noyade, dit-il. Je vais la cacher quelque part où la police la trouvera pas.

— Pristi, c'est'y donc que t'es fou, mon homme ? Y a pas un de nos voisins qu'ira pas courir au poste dès ce soir pour les mettre au courant. Jette-la, que je te dis, benêt, ou alors si t'es trop poltron, c'est moi qui le ferai. »

L'homme jura et se pencha brusquement pour empoigner la chienne. Il la prit par la peau du cou et par la queue. Elle se mit à hurler et à griffer le sol de ses pattes. Il la souleva, la balança deux fois d'arrière en avant, puis la précipita par-dessus le bord de la falaise.

La petite bête fendit les airs la queue et les pattes tendues, la tête basse. Puis elle disparut.

La femme jeta son tablier par-dessus son visage et se mit à pleurer tout fort. « Ma pauvre petite chienne, sanglota-t-elle. Si t'avais pas bu l'argent du cochon, elle serait encore là pour nous réconforter.

— Enfant du malheur, brailla l'homme. Si tu t'arrêtes pas tout de suite, je t'envoie la rejoindre.

— Sale brute. T'es rien qu'une brute. »

L'homme saisit son chapeau et le jeta par terre.

« Ah ! John, dit la femme brusquement radoucie. J'ai eu tort de dire ça. Tout ça, c'est de ma faute.

— Bien sûr que c'est de ta faute. Tous les malheurs sont de ta faute.

— Regarde donc en bas, John, et vois si elle est morte. Peut-être qu'elle est pas morte. Ça fait guère que quarante pieds et c'est marée haute. Elle a dû tomber dans l'eau. Si elle a pas cogné contre un rocher, elle est pas morte.

— Regarde donc toi-même, si ça te chante. Elle est noyée, à cette heure, et que le diable la dévore. » Et d'un pas lent, il commença à s'éloigner.

La femme courut jusqu'au bord de la falaise et s'agenouilla pour regarder dans le vide. « Oh ! John, John ! hurla-t-elle. Elle est pas morte. Reviens vite. Regarde-la qui s'ébroue sur ce rocher. Tu l'entends donc pas aboyer ? Je te dis qu'elle essaie d'escalader la falaise. Viens donc, John. Regarde, regarde. »

L'homme courut jusqu'au bord, frénétique, et regarda en contrebas. « Dieu m'est témoin qu'elle est vivante, s'écria-t-il. C'est bien dommage. À présent, va falloir qu'elle reste là à crever de faim. Quel âne bâté je fais de pas lui avoir accroché une pierre autour du cou. De toute façon, c'est de ta faute, c'est toi qui m'a troublé à force de me crier dessus. »

L'un et l'autre, penchés à quatre pattes au bord de la falaise, restèrent quelque temps à regarder. La chienne les aperçut et se mit à aboyer très fort, en grattant des pattes la base de la paroi. Un petit filet de sang coulait sur la peau blanche de sa patte droite et elle grelottait après son plongeon dans l'eau de mer. À la voir ainsi, le paysan et sa femme étaient tous deux au bord des larmes. « Sacrebleu, je donnerais bien mes quinze arpents de terre pour la faire remonter jusqu'ici, finit par lâcher l'homme. C'est qu'elle est humaine cette pauvre diable de bête. Faut être un vrai sauvage pour faire du mal à un malheureux animal comme elle à cause de sept shillings et six pence. Mais c'est fait à présent, et que le diable répare la faute. Ça nous portera pas chance.

— Ah! que Dieu nous protège de tout mal, s'écria la femme, entends-tu comme elle gémit plaintivement? Ça me perce le cœur comme un coup de couteau. John, John, va prendre un bateau sur le rivage là-bas et ramène-la à terre. Et moi, ce soir même, j'irai vendre à Kate Mahoney les cinq yards de toile que j'avais de côté pour une robe. J'en aurai bien dix shillings et je te donnerai un shilling pour boire. Va, et que Dieu te récompense. »

L'homme bondit sur ses pieds en lançant :
« Pauvre sot, raisonner avec une femme, c'est raisonner avec le diable. » Et il partit à grands pas vers l'ouest, en direction du rivage.

La femme continua d'appeler la chienne en pleurant. La bête s'était assise à présent et se mit à hurler à la mort lugubrement. Puis elle commença à tournicoter sur trois pattes, en léchant son membre blessé. Ensuite, elle s'allongea au pied de la falaise, frottant sa tête contre la paroi comme pour la caresser. Elle resta ainsi jusqu'au moment où le paysan contourna le promontoire dans son bateau. En le reconnaissant, elle leva la tête et lança une volée de jappements joyeux. Puis elle sauta à la mer et nagea jusqu'à l'embarcation. Il la hissa dans la barque et la prit dans ses bras pour la caresser avec amour.

La proclamation

Il y a quelques années, alors que le pays entier ne parlait que des circonstances stupéfiantes entourant le meurtre de Slackbally, la déclaration que voici fut adressée par la poste aux fonctionnaires chargés du procès, aux principaux journaux irlandais et au ministère de la Justice. À mon sens, cet extraordinaire document retrace l'histoire du meurtre avec une clarté remarquable, si bien que je le cite ici *in extenso*, sans autre commentaire :

À qui de droit

« Je soussigné, John Francis Considine, commandant de brigade, expose ici au public tous les détails de l'affaire, non pas parce que je commence à avoir la frousse, car laissez-moi vous dire que mes réseaux de communication sont si solides que je vous défie tous tant que vous êtes, mais dans l'intention de défendre ma réputation, ainsi que celle de ma famille et de tous ceux dont le sort est lié au mien, en qualité de soldats ou autres.

« Voici donc les faits, en revenant quelque peu en arrière, afin que tout soit parfaitement clair, car tout homme, quelle que soit sa position sociale, étant bien entendu qu'il en avait une au départ, garde le sens des convenances. Pour ceux qui savent, ceux qui sont originaires de ma ville et de mon comté, ainsi d'ailleurs que pour tous ceux qui sont activement associés au mouvement nationaliste à travers tout le pays, il ne serait pas nécessaire de rappeler les faits en question, mais il est bon, à cette heure, que tout homme, femme et enfant de la nation connaisse mon histoire, sache d'où je suis issu, comment je suis parvenu au rang que j'occupais, puis comment j'en suis venu à chuter, comme bien d'autres avant moi, par la faute de la noire ingratitude de gens haut placés.

« On s'est répandu en calomnies sur mon compte parce que je me suis battu dans l'armée britannique pendant la Grande Guerre, mais je déclare ici même, sans aucune intention de m'excuser d'avoir agi comme je l'ai fait, quelles qu'aient pu être mes actions, que j'ai été entraîné sur la mauvaise voie par une propagande ultérieure qui a reçu le soutien du curé de la paroisse et d'autres sommités locales trônant aujourd'hui dans les conseils et s'engraissant sur le dos de la nation. Comme l'a dit le poète, à moi les blessures et la faim, à eux la raison de tout cela. De toute façon, mon père était un boucher respecté dans notre bourgade, j'ai reçu une bonne éducation et mon oncle a joué pour le comté la seule fois où notre équipe de *hurling*[1] a atteint les demi-finales du championnat d'Irlande au cours des

---

1. Sport national irlandais. Il s'agit d'une espèce de hockey sur gazon, mais en plus de leur crosse, les joueurs, au nombre de 15 par équipe, peuvent aussi utiliser la main ou le pied pour lancer ou frapper la balle. Les buts tiennent à la fois des poteaux de rugby et du but de football puis-

vingt-cinq dernières années. Pour autant que je sache, jamais aucun crime, du vol au mouchardage, n'a été imputé à un seul des membres de ma famille, mais ceux-ci étaient toujours à l'avant-garde des expéditions punitives ou des vols de bétail, quand il y en avait.

« Je dois aussi préciser qu'en écrivant la présente déclaration j'ai obtenu le concours d'un fonctionnaire public touchant de près à l'éducation, dont le nom et la profession devront, pour des raisons évidentes, rester secrets ; nombre de corrections et d'ajouts ont été insérés par son entremise — sinon je dirais plus nettement encore à certaines personnes ce que je pense d'elles en termes qu'elles seraient susceptibles de comprendre.

« Après avoir été démobilisé par les forces de la puissance étrangère impérialiste qui nous a opprimés jusqu'à un passé très récent et qui garde encore sur nous son œil hostile, je me suis lancé à corps perdu dans le mouvement nationaliste, et durant les guerres de libération je me suis élevé au rang de commandant de brigade, lequel correspond à celui de général de brigade dans l'armée britannique. Je me suis rendu célèbre dans les trois comtés voisins par des actes d'héroïsme. Puis est venue la guerre civile, au cours de laquelle j'ai loyalement servi le nouveau gouvernement, défendant l'honneur de la nation contre ses ennemis de l'intérieur. Mais au cours de tout ce remue-ménage, comme on dit, à l'instar de bien d'autres pauvres bougres, j'ai pris un peu trop de goût pour la bouteille, Dieu maudisse ce poison qui a causé la perte de tant d'hommes. De ce fait, une fois la guerre finie et l'ennemi en déroute, ces

---

qu'un filet est fixé à la moitié inférieure de chaque poteau et à la barre transversale. Selon que la balle, petite et dure, passe au-dessus ou au-dessous de la barre transversale, lorsqu'on l'envoie entre les poteaux, l'équipe marque un certain nombre de points.

messieurs haut placés n'ont plus rien voulu avoir à faire avec moi. Si bien qu'ils m'ont refilé deux cents livres et ordonné de réintégrer mes fringues de civil. Des jeunes freluquets qui n'ont jamais tiré un coup de fusil et divers autres fameux guerriers, grands manieurs de stylos à encre ayant servi au sein du prétendu état-major, se trouvent à présent à Dublin où ils lampent le champagne que les hommes dans mon genre ont gagné pour eux, tandis que les vaillants tels que moi se terrent dans des abris, leur tête mise à prix. Que pouvais-je faire d'autre, sinon boire à l'hôtel et causer avec les copains? C'est comme ça que j'ai claqué l'argent et que très vite je me suis retrouvé en train de boire à crédit et de songer à partir pour l'Amérique. Bon Dieu! j'étais tellement furax que j'étais prêt à tout.

« Bon! Un soir, alors que j'étais dans cet état d'esprit, un type est entré dans le bar de l'hôtel et m'y a trouvé, assis tout seul dans mon coin. C'était James Finnigan, qui a naguère été sergent du Royal Irish Constabulary[1]. On se demandera peut-être pourquoi on lui a permis de vivre dans le coin, à l'égal des honnêtes gens, alors qu'il a appartenu à cette sinistre institution : c'est parce qu'on croyait qu'il avait servi dans la police en tant qu'espion des forces nationalistes. L'était-il ou non, je ne saurais le dire. Mais de toute façon, un espion est un espion, et il n'y a rien à ajouter. Je n'ai jamais eu d'estime pour ce coco-là, avec ses moustaches effilées, son visage maigre et ses yeux fureteurs. Il m'accostait souvent, l'air chafouin, pour essayer de faire ami-ami, mais en règle générale je le tenais à distance. Cette fois, comme ça se trouvait, j'étais fauché et je crevais de soif,

---

1. Le Royal Irish Constabulary était la force de police de l'Irlande du temps où le pays se trouvait sous la domination anglaise. Elle a été remplacée par la garde civile (Civic Guards).

sans compter que j'avais une telle ardoise que je n'avais pas envie de taper encore une fois Fred Connors; alors quand Finnigan m'a invité à boire un coup, je n'ai pas eu le cœur de dire non. On s'est mis à parler et au bout de cinq ou six verres — vous n'êtes pas sans savoir dans quel état on peut se mettre — j'ai pour ainsi dire oublié à qui j'avais affaire. Il me servait habilement la soupe, assurant qu'on m'avait rudement mal traité et tout ce qui s'ensuit. Et pour finir il s'est mis à m'expliquer dans quelle situation il se trouvait de son côté.

« "Jack, a-t-il dit, j'aimerais être aussi courageux que "toi une arme à la main.

« "— Pourquoi? ai-je demandé.

« "— Ma foi! a-t-il répondu. Je te jure solennellement "qu'il n'y a pour moi qu'une seule façon de me sortir "du guêpier où je suis, et c'est de descendre quelqu'un "que je ne nommerai pas.

« "— Bon Dieu! me suis-je exclamé.

« "— Ce que je te dis, c'est la vérité du bon Dieu, a- "t-il continué. Je suis endetté jusqu'au cou, rapport aux "améliorations nécessaires à la ferme que j'ai achetée, "et voilà que mon contremaître choisit justement "d'exiger que je lui paie ses gages qui se montent à cent "dix livres."

« Je cite ses propos, mot pour mot. Il avait un culot d'empereur, le bougre : propriétaire d'une ferme, non mais des fois. Mais que voulez-vous, pris de boisson comme je l'étais, je l'ai écouté.

« "Tu veux parler de Tommy Dillon? ai-je demandé, "en nommant le gars qui travaillait pour lui.

« "— Lui-même. Il menace de se pourvoir en justice. "Or tu connais ma situation. Ce ne sera pas dur de me "mettre tout le monde à dos devant les juges, parce que "j'ai eu la malchance d'être de la police.

« "— Je vois, ai-je dit. Et il ne veut pas entendre raison?

« "— Non, répondit Finnigan.

« "— Tu ne pourrais pas l'amadouer momentanément, "ai-je suggéré, en lui filant quelques livres ou Dieu sait "quoi?

« "— Il refuse d'accepter un sou de moins que la "somme intégrale."

« J'ai fait de mon mieux, tout ivre que j'étais, pour le dissuader de commettre le forfait envisagé, mais autant vouloir apitoyer une pierre. Il était résolu à tuer cet homme. Alors pour finir, il m'a dit :

« "Si la proposition que je vais te faire ne te tente pas, "Jack, je sais que je peux compter sur toi pour tenir ta "langue.

"— Je ne suis pas un mouchard, ai-je dit.

"— Bon! Voilà ce qu'il en est, a-t-il repris. Je sais que "Dillon est bien décidé à me ruiner. Il veut me chasser "de cette ferme, avec femme et enfants, et se l'accaparer. "C'est lui ou moi. Il faut me débarrasser de lui, Jack, "pour l'amour de Dieu. Pourrais-tu me filer un coup de "main?

"— Comment ça? ai-je demandé.

"— Écoute, je ne suis pas riche, mais je pourrais "arriver à réunir vingt-cinq livres pour le type qui "supprimerait Dillon."

« J'avais l'esprit tellement embrumé par l'alcool, Dieu me pardonne, que je ne l'ai pas jeté à bas de son siège d'un coup de poing, et bien entendu il n'était pas question de dévoiler son complot. À supposer que j'aie eu envie d'aller trouver la police, ce qui était bien loin de ma pensée, je n'avais pas de témoins. Alors que pouvais-je faire?

« "Je veux bien m'en charger", ai-je dit, sans même savoir ce que je racontais.

« Il m'a empoigné la main et il a été à deux doigts de se foutre à genoux pour me remercier, en me parlant de sa femme et de ses enfants. Il ne s'est pas dit un seul instant que Dillon aussi avait une femme et des enfants. D'ailleurs moi non plus je ne me le suis pas dit à ce moment-là, je n'y ai pensé que plus tard; j'avais tant bu que je n'avais plus ma tête à moi. Quoi qu'il en soit, nous avons échafaudé un plan de campagne et décidé que le boulot devait être exécuté à un endroit convenu d'avance, où Dillon avait coutume de passer à vélo. Finnigan m'a tendu dix livres, le reste devant m'être payé dès que le boulot serait terminé. Et puis, on a bu encore quelques coups et on s'est séparés; j'étais dans un état d'ivresse avancée.

« Le lendemain matin, je me suis réveillé avec la gueule de bois, et la première chose qui m'est venue en tête a été le meurtre de Tommy Dillon que je m'étais engagé à perpétrer pour Finnigan. Aussi sec, j'ai décidé de mettre toute l'affaire entre les mains du sergent Kane de la garde civile, car j'en étais arrivé à la conclusion que Finnigan possédait des tendances criminelles et constituait un danger pour la communauté. Je me suis donc rendu à la caserne, j'ai attiré le sergent à l'écart et je lui ai tout raconté.

« "On le tient, s'est écrié Kane en se frappant la "cuisse. On le tient à présent, si on sait se débrouiller.

« "— Comment ça?" ai-je demandé.

« Kane n'a pas inventé la poudre, même s'il se croit très malin; c'est un de ces colosses à cou de taureau qui ont plus de cran que de cervelle. Il n'y verra pas de mal si je dis à tout le monde ce que je pense de lui. Je le lui dirais aussi bien en face, et d'ailleurs je le ferai en temps voulu, parce qu'il m'a quand même collé dans de fichtrement mauvais draps, mais pas maintenant.

« "Écoute, a-t-il dit. Ne dis surtout rien de tout ça à "qui que ce soit, Jack. On l'a dans le colimateur.

« "— Qui ça? ai-je demandé.

« "— Cette sale crapule de Finnigan. On lui garde un "chien de notre chienne. Figure-toi qu'il est dévoré de "jalousie envers la garde civile, alors il raconte partout "que notre discipline ne vaut rien par rapport à celle de "l'ancien Royal Irish Constabulary. On va lui régler son "compte. Toi, tu marches à fond dans sa combine et tu "sors avec lui ce soir, comme si de rien n'était.

« "— Bon Dieu! me suis-je exclamé. Voyons, sergent "Kane, tu ne serais pas en train de m'inciter au meurtre, "par hasard?

« "— Ferme donc ta grande gueule, a répondu Kane. "Je ne fais rien de pareil... tu n'as qu'à le viser aux "jambes, voilà tout, ou même tirer en l'air, pourvu que... "attends un peu. J'ai une meilleure idée. On va mettre "Tommy Dillon dans le coup, lui aussi, ça vaudra mieux."

« Cré de bon Dieu! Je commençais à être terrifié.

« "Non mais dis voir, sergent, ai-je protesté. Ça devient "un peu trop compliqué pour moi, tout ça. Je ne veux "pas être mêlé à toutes vos embrouilles. Ce n'est pas "mon genre. Si vous avez envie de pendre Finnigan, "vous autres, faites-le donc en bonne et due forme. Ou "bien si vous voulez le buter, allez chez lui et profitez "de ce qu'il est dans ses meubles. Tirez-le de son lit, "laissez-lui le temps de faire ses prières et expédiez-le "*ad patres* comme on faisait dans le temps. Ces "manigances à la française, ça ressemble trop à la "diplomatie britannique. Je refuse d'y être mêlé de près "ou de loin.

« "— Tu y seras mêlé quand même, sacrédié, s'est-il "écrié, sans quoi j'expédie un rapport au quartier "général au sujet de la déclaration que tu m'as faite ici "même ce matin."

« Nous avons bien failli en venir aux mains, parce que je ne me laisse marcher sur les pieds par personne, et surtout pas par un gros lourdaud comme Paddy

Kane. Mais il faut bien se dire que nous avons servi dans la même colonne volante, dans le temps, au début des troubles, alors il n'y avait pas à tortiller. J'ai accepté de faire ce qu'il me demandait. Dans le courant de la journée, nous avons vu Tommy Dillon en secret dans une maison au bord de la route et nous lui avons tout raconté. Nous avons eu le plus grand mal à l'empêcher de se précipiter chez Finnigan sur-le-champ, armé d'une fourche. Pauvre Tommy, ce n'était pas un mauvais bougre et je suis désolé que l'affaire se soit terminée ainsi pour lui, mais tout est de la faute de Kane, sans parler de cet assassin de Finnigan. De toute façon, c'est moi qui suis le dindon de la farce. Quoi qu'il advienne, je suis bon pour l'exil. Mais il convient de clamer la vérité et de laver mon honneur.

« "Ne fais surtout rien de pareil, Tommy, a dit Kane "en entendant le garçon parler de fourche. Tout ce que "tu y gagnerais, ce serait d'être pendu pour meurtre et "on serait impliqués nous aussi, vu que les dépositions "révéleraient qu'on t'avait mis au courant du projet.

« "— Bon, d'accord", a fini par dire Tommy.

« Ensuite, nous avons dressé notre plan. Le sergent et deux de ses hommes devaient se cacher d'un côté de la route, à l'endroit que j'avais choisi. Finnigan et moi serions du côté opposé, et Tommy arriverait sur sa bécane. Et tout s'est passé exactement comme prévu. J'ai retrouvé Finnigan à la nuit tombée et nous nous sommes mis en route. Il avait les morceaux d'un fusil démonté sous son manteau, et moi j'avais mon automatique. Nous nous sommes installés à notre poste. Au bout d'un quart d'heure environ, il faisait déjà assez noir, nous avons vu la lampe du vélo de Tommy qui se rapprochait, puis nous l'avons entendu siffler entre ses dents. Sans doute qu'il avait un peu la trouille.

« "Allez, Finnigan, ai-je dit. Vaut mieux sortir sur la

"route et l'arrêter, sans quoi on risque de le rater sous
"ce mauvais éclairage."

« Il était tout excité, je le sentais trembler à côté de
moi. De toute façon, c'était un vrai couard. Nous
sommes donc sortis de derrière la haie, sans un mot,
juste au moment où Tommy arrivait.

« "Fais-le tomber du vélo, ai-je dit à Finnigan en
"m'avançant, et je lui file le coup de grâce."

« Au même instant, le sergent Kane a bondi depuis
l'autre côté de la route en braillant :

« "Haut les mains, Finnigan, ou je t'abats sur place !"

« Tommy Dillon a mis pied à terre et il est resté là, au
milieu de la route. Finnigan m'a jeté un regard, un seul
— jamais je ne l'oublierai — et puis vif comme l'éclair
il a braqué son fusil sur moi en hurlant : "Saloperie de
"mouchard !" et il a tiré. Dans son affolement et vu
l'obscurité, il m'a raté, même si j'ai récolté quelques
chevrotines dans l'épaule. Puis il a fait volte-face et il
s'est rué sur Tommy.

« Bon Dieu ! En entendant le mot "mouchard", j'ai
cru qu'on m'enfonçait un fer rouge dans la poitrine.
Alors, je l'ai visé et j'ai défouraillé. Au lieu de se sauver,
ce crétin de Tommy Dillon avait plongé sur Finnigan en
le voyant approcher. Il s'est laissé emporter par la colère,
pauvre Tommy. Résultat, un vrai sac de nœuds, mais
voilà ce qui s'est passé. Finnigan a vidé son deuxième
canon en plein dans la figure de Tommy et lui a pratiquement fait exploser la tête, tandis que moi j'ai touché Finnigan avec mon deuxième coup que je lui ai tiré
droit au cœur comme ça se trouvait. Il le méritait, mais
j'aurais préféré que quelqu'un d'autre s'en charge. De
toute façon, je cherchais simplement à sauver la vie de
Tommy. Du coup, ils étaient morts tous les deux. Le sergent Kane s'est approché de moi et après qu'on a eu
examiné les cadavres, il a dit :

158

« "Je suis désolé, Jack, mais je vais être obligé de te
"mettre en état d'arrestation.

« "— C'est plutôt moi qui vais t'expédier en enfer, ai-
"je dit, vu que c'est toi qui est responsable de tout ce
"merdier."

« Alors je lui ai cogné dessus avec le canon de mon
arme et je l'ai envoyé au tapis.

« "Le premier qui bouge, ai-je crié aux deux autres
"en braquant mon arme sur eux, je le descends."

« Puis j'ai ramassé la bicyclette de Tommy et je me
suis tiré. Voilà toute l'histoire des événements qui ont
débouché sur le procès que l'on sait, lequel n'a fait
honneur à personne, et surtout pas à l'accusé, jugé
par contumace. Je me permets de dire à qui veut
l'entendre que le dit accusé compte bien rester libre de
ses mouvements tant que lui-même et ses loyaux amis
auront encore quelques munitions.

« D'ailleurs, je vois bien à présent que toute cette
affaire me visait moi autant que Finnigan — puisse
Dieu prendre en pitié les âmes des malheureux qui ont
été victimes de cette erreur judiciaire.

« J'en appelle une dernière fois à mes concitoyens et
concitoyennes : qu'ils veillent à ce qu'on empêche les
limiers de l'injustice de chercher à retrouver ma trace
et qu'ils se rappellent un peu tard peut-être l'infortuné
John Francis Considine, ancien commandant de brigade
et soldat du peuple, qui a fidèlement servi son pays et
mérite une meilleure récompense que la potence.

« (*Signé*) JOHN FRANCIS CONSIDINE
Commandant de brigade (dans la clandestinité) »

Inutile de dire que cet étonnant document n'a jamais
été publié par un seul des journaux auquel il avait
été soumis. J'ai moi-même été autorisé à en lire un

exemplaire par un ami qui jouait un rôle dans le procès, mais cela s'est passé tout récemment. À ce moment-là, je me rappelais à peine l'affaire. Considine ne fut jamais pris et en vérité je ne me serais peut-être pas donné la peine de publier ceci si je n'avais pas dernièrement rencontré à New York un homme qui y avait vu Considine. Il m'a dit que l'ancien commandant de brigade paraissait excessivement prospère et heureux.

Bohunk

Le chapeau mou tiré très bas sur son visage cramoisi d'ivrogne, les poings crispés dans les poches de son lourd pardessus noir, le grand Jack Fleming contempla les chiots nouveau-nés pendant un long moment, dans un silence maussade. Bien qu'il se montrât généralement sans pitié, pour ne pas dire brutal et sans cœur, il avait toujours détesté prendre la décision qui s'impose à un éleveur de chiens de course quand une portée est trop nombreuse pour que la mère puisse la nourrir convenablement.

Pour ne rien arranger, la petite chienne fauve paraissait deviner le sort qui attendait certains de ses bébés. Allongée sur le flanc, elle s'efforçait désespérément de cacher les sept créatures luisantes et aveugles qui rampaient sur ses mamelles distendues. En même temps, elle levait vers Fleming deux yeux larmoyants pleins de muette supplication, dans lesquels se lisait encore la souffrance de l'accouchement. Sa truffe était agitée de spasmes et elle frappait la paille du bout de sa queue recourbée.

Soudain, Fleming jura entre ses dents, puis il jeta un regard irrité à son maître de chenil.

« Allez, dis quelque chose, Joe, lança-t-il. On va pas y passer la journée. Qu'est-ce que t'en penses, mon gars? Comment tu vois la chose? »

Stapleton était un grand homme efflanqué à l'épaisse chevelure grise et à la pomme d'Adam très prononcée. Pour le moment, son visage osseux et émacié était éclairé par l'étrange sourire du mystique sous l'influence d'une révélation occulte. Ses yeux bleus étaient grands ouverts, le regard fixe. À l'encontre de Fleming, qui était avant tout un flambeur, le maître de chenil n'avait dans la vie qu'une seule ambition : élever un surchien, un champion parmi les champions.

« Ça dépend, Jack, dit-il d'une voix perçante et surexcitée de petite fille. Il s'agit de savoir si t'acceptes de garder ce chiot mal fichu qui a des pattes si puissantes. »

Et il avança le pied droit pour toucher un des membres de la portée, grosse créature peu engageante qui déjà dominait les six autres et qui était même parvenue à s'emparer correctement d'une tétine.

« T'es dingue ou quoi? protesta Fleming. C'est un monstre, cette bête. Il sera le premier à boire la tasse, oui.

— Attends, Jack, insista Stapleton. Attends un peu, fais pas ta mauvaise tête. Tu peux bien m'anéantir sur place, je jurerai avec mon dernier souffle que tu trouveras dans ce chiot l'étoffe d'un futur champion. Pour l'amour de Dieu, regarde-moi un peu la puissance de ses pattes. Regarde donc de quelle façon il a tout de suite pris la tête de…

— La ferme, Joc! interrompit Fleming. Je te dis que c'cst un monstre. Tu pourrais t'échiner pendant mille ans que t'arriverais pas à faire un honnête coureur de ce bon à rien. On dirait un corniaud qui aurait atterri ici par erreur. »

Les deux hommes eurent une prise de bec assez vive, tandis que le regard inquiet de la chienne passait de l'un à l'autre et qu'elle gémissait, la truffe frémissante, comme si elle comprenait chacun des mots qui s'échangeaient.

« Fais comme tu voudras », finit par dire Stapleton d'un ton vexé.

Aussitôt Fleming eut peur d'être obligé de prendre la décision tout seul.

« Te fâche pas, Joe, supplia-t-il. J'essaie simplement de dire…

— Fais comme tu voudras! hurla Stapleton à tue-tête en agitant son chapeau bosselé, mais tu vas noyer la plus belle occase de ta vie. Je le sens bien, moi, ce drôle de petit bonhomme, et quand je sens les choses, je me goure pas souvent; t'es d'ailleurs bien placé pour le savoir.

— Je dis pas que c'est pas vrai, Joe, répondit Fleming. C'est pas la peine de te fiche en rogne. Je le sais bien que tu te goures pas souvent et qu'il y en a pas deux comme toi pour juger les chiots. T'as le truc, mon salaud, encore que je sache pas si c'est un truc ou un don. Du reste on s'en fout. Le principal, c'est que tu l'aies. Quand même, je veux bien être pendu si je comprends pourquoi cette petite mocheté que voilà te plaît tant. C'est un corniaud tout craché. »

Stapleton jeta par terre son piteux couvre-chef, puis il planta son pied gauche sur la calotte.

« C'est mon dernier mot! hurla-t-il au bord de la crise de nerfs. Faut le garder lui, plus les deux que tu préfères sur les six restants. Si on garde le gros patapouf, elle pourra pas en élever plus de trois. Garde-le et tu me remercieras un jour de t'avoir fait faire une sacrée bonne affaire. Garde-le et tu te retrouveras plus souvent qu'à ton tour à deux genoux en train de dire une prière pour me bénir de t'avoir donné ce conseil. »

Comme d'habitude, Fleming se détourna brusquement en lançant :

« Bon, d'accord, Joe, débarrasse-toi des quatre autres.

— Une seconde, Jack, s'écria Stapleton plein de zèle. Prenons ceux qui restent un par un et essayons de faire le bon choix.

— Débrouille-toi tout seul! hurla Fleming déjà loin.

— Tu le regretteras pas, brailla Stapleton tout content, de sa voix chantante de petite fille. Tu regretteras jamais de m'avoir laissé garder un futur grand champion. »

Et en effet, le vilain petit chiot se mit à pousser comme un champignon. Cependant, sa croissance spectaculaire, aussi bien en puissance qu'en taille, se fit au détriment du frère et de la sœur qui avaient survécu à ses côtés. À vrai dire, on aurait pu tout aussi bien noyer ces deux petites bêtes en même temps que les quatre autres, parce que le monstre ne leur laissait pour ainsi dire jamais la moindre occasion de téter le suc vital qui coulait des mamelles de leur mère. L'impitoyable glouton les poussait et les renversait comme des quilles tandis qu'il s'affairait goulûment aux quatre coins de sa base de ravitaillement, du matin au soir, tarissant d'une seule traite ou presque chaque petit robinet de liquide tiède.

Au bout de trois mois, il était évident que, malgré la noblesse de leurs origines (n'étaient-ils pas le résultat du croisement entre le célèbre Boranno et la chienne Hunkadory?), les deux petits gringalets n'auraient jamais la moindre espèce de mérite en tant que chiens de course.

« Je te maudis, Joe Stapleton, s'écria un jour Fleming. Tu vois un peu ce que t'as fait d'une portée de grande valeur ? On m'en donnerait même pas une livre sterling pièce de ces deux avortons.

— Aucune importance, Jack, rétorqua Stapleton avec un sourire béat. T'occupes pas des demi-portions et regarde-moi donc cette force de la nature. T'as un champion tout fait avec ce grand colosse, là-bas. Veux-tu bien m'admirer ce géant et cesser de ronchonner.

— Qu'il soit maudit lui aussi ! reprit Fleming. En même temps que le lait, il a sucé le dernier souffle de vie de ma jolie chienne, ou peu s'en faut. »

Les deux petits sous-alimentés furent offerts gratis à des gamins du village et l'unique survivant reçut le nom de Bohunk. Ce nom rude et malsonnant lui allait comme un gant, car durant son adolescence la fine silhouette et l'allure gracieuse de sa race lui firent cruellement défaut. Ventru, noueux, la démarche chaloupée, il était plus proche du cochon que du lévrier. Rien d'étonnant ! Il passait tout son temps à manger ou à chercher de la nourriture.

Du fait que Fleming tenait un petit hôtel et faisait de surcroît l'élevage des volailles et des vaches laitières, les mandibules de Bohunk, à cette période de sa vie, n'étaient jamais au chômage. Voleur et chapardeur de grand talent, il s'emparait de tout ce qui passait à sa portée, chaud ou froid, mort ou vif, et le dévorait. À vrai dire, les poussins étaient son régal de prédilection. Il bondissait par-dessus la clôture de la basse-cour et vous avalait comme un rien toute une brochette de ces créatures sans défense tandis que les mères poules battaient des ailes en hurlant. De la même façon, il faisait de brusques incursions en cuisine d'où il repartait chargé de gros morceaux de viande. Il lui arrivait même de se faufiler sournoisement dans le bar et d'y lamper toute bière brune mal surveillée qui se trouvait à la hauteur de son museau.

Pourtant, lorsque Joe Stapleton commença à l'emmener dans la montagne pour l'entraîner, il montra une pointe de vitesse remarquable et une grande aptitude aux manœuvres. Jaillissant de sa laisse comme un projectile, il tua son premier lièvre après trois virages au cordeau qui firent monter des larmes de joie aux yeux de son mentor. Plus tard, en apprenant l'art de la course sur une piste des environs, il fit preuve de la même habileté et de la même intelligence. Non seulement sortait-il très vite de la boîte de départ, et ce dès la première fois qu'on le lui demanda, mais il tenait la corde et prenait ses virages comme un vieux de la vieille.

Après avoir vu une course d'essai privée, au cours de laquelle Bohunk vainquit des adversaires plus âgés de plusieurs longueurs, Fleming devint presque aussi enthousiaste que son employé.

« Écoute, Joe, dit-il, avec ce numéro-là, on tient peut-être un chien qui va faire mordre la poussière à tous les bookmakers de Dublin. »

Stapleton sut aussitôt que son employeur avait en tête quelque combine sordide et il protesta avec véhémence.

« Jack, dit-il, je te maudirai jusqu'au jour de ma mort si tu tentes une de tes carabistouilles à la noix avec un champion comme Bohunk. »

Fleming sourit, puis il tapota du poing la poitrine de Stapleton.

« Rappelle-toi bien une chose, Joe, dit-il doucement, je me suis pas lancé dans les courses de chiens par philanthropie. Tu t'es si bien vanté et t'as eu la langue si longue que mon chien est connu d'un bout à l'autre du pays avant même d'avoir posé les pattes sur une piste publique.

— J'ai déjà dit, et je le redis, hurla Stapleton, que si tu cherches à tripatouiller Bohunk...

— Tu sais très bien que je touche pas au dopage, lança Fleming.

— Y a d'autres moyens, riposta Stapleton.

— La ferme, Joe! répliqua Fleming. À l'heure qu'il est, je pourrais même pas miser dix malheureuses livres à égalité sur mon cabot, et c'est entièrement de ta faute. Alors qu'est-ce que je dois faire? Le faire courir pour m'amuser? »

En effet, il lui fut impossible de « faire cracher » la moindre somme digne de ce nom lors des quatre premières courses que remporta son phénomène, car les bookmakers bien renseignés lui offrirent en chaque occasion une cote ridicule.

Il trouva, cependant, la solution à son problème grâce à un autre jeune chien presque aussi talentueux, dont le propriétaire était un de ses amis intimes. Il conclut donc un accord avec Frank Holden, tenancier de pub à Dublin, lequel jouait presque aussi gros que lui et n'était guère plus étouffé par les scrupules.

Le jour de la course, il fit venir Stapleton dans son bureau et lui dit :

« Ce soir, tu viens pas avec nous à Dublin, parce que t'aimeras pas voir Bohunk perdre.

— Ah bon? fit doucement Stapleton.

— Ouais, c'est comme ça, Joe, dit Fleming en jetant quatre billets de banque sur le bureau. Prends donc ceci et offre-toi une bonne muflée. T'en as grand besoin. Ça fait bien un mois, crénom, que tu te promènes avec l'air d'une poule qui a trois œufs coincés dans le bide. »

Pendant quelques instants, Stapleton contempla en silence les quatre billets de cinq livres tout neufs. Puis il poussa un soupir et les mit dans sa poche.

« Je sais très bien ce que tu vas faire, Jack, dit-il. Fais comme tu voudras. Cette nuit, quand tu rentreras, j'aurai fichu le camp. »

Troublé d'entendre son employé parler d'une voix si douce, Fleming lâcha un rire nerveux.

« Va pas trop loin, dit-il. Faudra que je te voie demain matin. Cette fois-ci, pour ce qui est des gains, t'auras le double de ta part habituelle. »

Tout en se dirigeant vers la porte, Stapleton secoua la tête et grommela :

« Ce pognon-là, j'en veux pas un penny, Jack. Je m'en vais pour de bon. »

Fleming frappa le bureau d'un poing rageur.

« Je la connais, ta chanson ! » hurla-t-il.

Arrivé à la porte, Stapleton s'arrêta et le regarda par-dessus son épaule.

« Tu comprends pas un crack comme Bohunk, dit-il. T'auras beau le faire courir comme un dératé avant la course, il relèvera quand même le défi le moment venu. Tu peux me croire. Il fera sa course, mais il s'éclatera peut-être le cœur à essayer de gagner. Bien le bonjour, Jack. »

Une fois que Stapleton fut parti, Fleming donna un autre coup de poing rageur sur son bureau.

« Le diable l'emporte, cet abruti ! » gronda-t-il.

En route pour Dublin ce soir-là, dans une camionnette fermée, en compagnie de Bohunk et de ses cinq parieurs, Jack Fleming, borné et soupe au lait, était toujours dans une colère noire contre Stapleton. Sinon il n'aurait pas fait galoper son malheureux chien si loin sur une route de montagne déserte.

« Qu'il coure encore un peu ! hurla-t-il en réponse aux mises en garde de ses hommes qui le suppliaient d'avoir pitié de l'animal. Je préfère assurer mes arrières. Ce soir, je peux vous dire que le Bohunk, il relèvera aucun défi. »

D'ailleurs, il refusa d'arrêter le véhicule tant que son chien ne se fut pas mis à tituber d'épuisement. Tout de suite après, cependant, il câlina et massa l'animal éberlué avec un amour quasi maternel. Néanmoins, Bohunk était toujours étendu sur le flanc, sa langue rouge pendant mollement sur le plancher de la camionnette, quand ils atteignirent les faubourgs de la ville.

S'étant garé près d'un arrêt d'autobus, Fleming remit six cents livres à chacun de ses parieurs. Un tiers de la somme appartenait à Holden.

« Vous savez tous ce que vous avez à faire ? » demanda-t-il.

Ils opinèrent.

« Contentez-vous de prendre vos positions quand on commencera à parier sur notre course, puis attendez le signal. Je serai à mon poste habituel. Allez-y, à présent, les gars. Chacun de son côté et une fois sur place échangez pas un mot ni entre vous ni avec quiconque. »

Une fois seul, il se rendit au cynodrome et confia Bohunk aux préposés. Désormais, le grand chien fauve était suffisamment remis pour avancer de son pas normal, paresseux et maladroit.

« Nom d'un petit bonhomme ! déclara un des employés, la terreur des collines de Wicklow a l'air affûtée et prête à en découdre ce soir.

— Je l'ai un peu affiné, grogna Fleming d'un ton rogue. Peut-être bien qu'il pèsera une livre ou deux de moins sur la balance. »

Puis il partit se cacher dans une taverne voisine où il éclusa toute une ribambelle de whiskeys secs, coup sur coup, comme il le faisait toujours en attendant l'issue d'une course où il avait parié gros. Lorsqu'il grimpa tout en haut des tribunes, au milieu d'une foule dense, quelques minutes avant le début de la course, il avait les yeux injectés de sang et son cœur battait une chamade lourde de menaces.

Jetant un coup d'œil furtif aux six chiens que des employés en blouse blanche promenaient lentement autour de la piste, il nota avec satisfaction que Bohunk paraissait passif et indifférent.

« Il va pas faire un yard », marmonna le grand Jack, tout joyeux.

En dépit de cette mollesse apparente, cependant, le monstre fauve était de loin le favori des parieurs, alors que le chien de Holden était généralement donné à neuf contre deux.

« Neuf mille pour moi, se dit Fleming avec cupidité, si mes gars réussissent à tout écouler avant que la cote descende. »

Il attendit le moment où les concurrents étaient examinés devant la tribune, puis il souleva distraitement son chapeau. Aussitôt, ses hommes se précipitèrent et commencèrent à parier. La brusque flambée d'activité qui s'ensuivit, tout le long de la rangée de bookmakers, était trop pénible à regarder. Les yeux fermés, il se tint raide, sans penser à rien, jusqu'au moment où un brusque silence s'abattit. Alors, il rouvrit les yeux, à l'instant même où le leurre commençait à foncer autour de la piste, dans un grondement, alors que les chiens enfermés dans leurs boîtes grattaient et gémissaient d'excitation.

La foule rugit lorsque les portes se soulevèrent brutalement et que les chiens bondirent.

« Vas-y, Bohunk! »

Fleming sourit en voyant le chien noir de Holden, Bold Fenian, se détacher nettement et prendre aussitôt le commandement, tandis que Bohunk restait piteusement à la traîne.

« L'affaire est dans le sac », lança-t-il tout haut.

Et pourtant, il s'avéra que Stapleton avait raison. Dans la ligne droite opposée, le monstre fauve découvrit au fond de son cœur si vaillant des réserves d'énergie encore inexploitées et il se mit à pousser une formidable pointe de vitesse qui arracha un violent cri de joie aux spectateurs.

« Nom de Dieu de nom de Dieu ! » marmonna Fleming, horrifié.

Bohunk soutint son effort jusqu'à ce qu'il eût rattrapé, puis dépassé Bold Fenian, qu'il coiffa sur le fil. Alors, il s'écroula et un employé dut l'emporter hors de la piste, tandis que les parieurs triomphants lançaient des acclamations extasiées.

« Nom de Dieu de nom de Dieu ! » ne cessait de répéter Fleming en descendant d'un pas incertain du haut de la tribune, tête basse.

En arrivant chez lui avec son chien prostré, Fleming apprit que Stapleton était parti pour Londres. À ce moment-là, cependant, le grand gaillard avait déjà tellement bu qu'il était plongé dans une ivresse larmoyante et ses lourdes pertes l'indifféraient. À vrai dire, il avait déjà recommencé à nourrir des rêves de gains dorés et inépuisables, mirage éblouissant qui entraîne les joueurs à la perdition.

« Qu'est-ce que j'en ai à fiche de Stapleton ? braillat-il. Qu'il reste à Londres à tout jamais si ça lui chante. Et les deux mille livres que j'ai perdues, je m'en fous aussi. Et je me contrefous de savoir que je me suis fait un ennemi à vie en la personne de Frank Holden. Parce que j'ai dans mon chenil un champion imbattable, une mine d'or sur quatre pattes, ou je veux bien être pendu. Alors qu'est-ce que j'en ai à foutre ? D'ici jusqu'à Glasgow, on trouvera pas un seul chien capable de rivaliser avec Bohunk. Au début, j'ai cru que c'était simplement un chiot prometteur, comme on en voit des tas, j'ai cru qu'il ferait long feu, anéanti par le premier souffle d'une opposition sérieuse.

Maintenant, je suis certain que c'est un vrai champion. »

Et en effet, moins d'un mois plus tard, Bohunk était rétabli et ne paraissait pas le moins du monde aigri par sa cruelle expérience. Après quoi son imbécile de propriétaire le plaça dans le chenil d'un célèbre entraîneur à Manchester. Au lieu d'errer librement et de piller à volonté, comme il le faisait sous la sage houlette de Joe Stapleton, il y fut mis en cage et soumis à un strict régime d'exercice physique doublé de rationnement alimentaire. Si bien que le pauvre animal se mit à dépérir, pleurant dans son cœur la liberté de ses collines natales et les repas gargantuesques dont il avait besoin pour alimenter la puissance de son squelette de colosse.

Après qu'il eut terminé bon dernier de cinq courses successives, l'entraîneur conseilla à Fleming de le ramener chez lui et de le laisser aller et venir à sa guise.

« Si vous voulez mon avis, Jack, déclara Masterson, seul le temps nous dira s'il a encore en lui le potentiel pour gagner une autre course. C'est toujours comme ça quand on a trop demandé trop tôt à un jeune chien doué. Il aime plus la course. »

Pendant quinze jours après son retour, Bohunk parut être le chien le plus satisfait de la terre : il faisait les poubelles et courait les collines du matin au soir. Puis un jour, il disparut brusquement sans laisser de trace.

« Qu'il s'en aille ! hurla Fleming en apprenant la nouvelle. Bon débarras, je remercie Dieu de m'avoir enfin libéré de ce monstre. Il m'a ruiné. Il a gagné quand je voulais qu'il perde. Et ensuite il a perdu, cinq fois de suite, alors que j'avais parié ma chemise qu'il gagnerait. Cinq fois de suite ! Par sa faute, je me retrouve non seulement au tapis, mais bientôt sous terre comme une taupe. Alors je remercie Dieu qu'il soit parti et surtout que personne ne cherche à savoir où. À pré-

sent, peut-être que la chance va enfin me sourire. »
Au lieu de quoi, cependant, la malchance l'accabla
de plus belle. Six mois plus tard, victime d'un accident
cardiaque, il fut emporté dans une clinique de Dublin.
« Dites-moi la vérité, lança-t-il au médecin qui venait
de l'examiner. Est-ce que je vais devoir déclarer défini-
tivement forfait ? Ou est-ce qu'il me reste encore une
petite chance ?

— Votre seule chance, lui dit le médecin, c'est
d'arrêter de boire et...

— Allez pas plus loin, interrompit Fleming.

— Il le faut, insista le médecin. Si vous continuez à
parier...

— Pas un mot de plus, reprit Fleming. Je préfère
mourir tout de suite que de vivre sans pouvoir parier. »

Déprimé par cette atroce perspective, il ne fit aucun
progrès dans la voie du rétablissement, jusqu'au jour où
Joe Stapleton pénétra dans sa chambre, un beau matin,
sans crier gare. Quand Fleming aperçut son ancien
employé, son visage violacé se contracta et ses énormes
mains se crispèrent sur les couvertures tant son ravissement était grand. Ce qui ne l'empêcha pas de faire semblant d'être courroucé.

« Il t'en a fallu du temps pour venir, hurla-t-il. Y a rien
de pire que d'avoir des amis déloyaux.

— Allons, voyons, calme-toi, Jack, chuchota Stapleton en s'approchant du lit sur la pointe des pieds.
Calme-toi donc et sois raisonnable ; je suis venu dès que
j'ai pu.

— Voilà cinq semaines que je suis couché sans pouvoir
bouger, continua Fleming, et j'ai pas reçu un mot de toi.

— Fais pas ta mauvaise tête, voyons, Jack, dit
doucement Stapleton en s'agenouillant au chevet du
lit. Figure-toi que je voulais pas venir les mains vides.
Mais maintenant, vois-tu, j'apporte une nouvelle qui va

te propulser hors d'ici en moins de temps qu'il en faut pour le dire. »

Fleming contempla fixement le visage exalté de Stapleton et fronça les sourcils.

« Qu'est-ce que tu me prépares encore comme coup de Jarnac ? grogna-t-il.

— Tais-toi donc et écoute-moi tranquillement, chuchota Stapleton, parce que je t'apporte la nouvelle dont t'as besoin.

— Quelle nouvelle ? »

Stapleton ôta son chapeau pour en défoncer la calotte d'un coup magistral de son poing gauche, comme s'il s'agissait de son ennemi mortel.

« Pendant tout le temps que j'ai travaillé chez Nick Dempsey à Londres, Pat Harris a continué à m'écrire, commença-t-il en mentionnant le nom d'un des parieurs du grand Jack. Donc j'étais au courant de ce qui se passait. J'ai failli avoir une attaque quand il m'a dit que Bohunk avait disparu.

— Que le diable l'emporte ce cabot ! lança Fleming. C'est lui qui a eu ma peau. »

Stapleton frappa le sol de son chapeau et continua :

« Convaincu qu'il avait été volé, je me suis entêté à faire des recherches en écrivant à tous mes amis, aux quatre coins du pays. Malheureusement, j'ai pas obtenu le moindre résultat jusqu'à la veille du jour où on t'a transporté dans cette clinique. Ce jour-là, Tom McCarthy a amené quatre chiens de Killarney pour les faire entraîner par Nick Dempsey en vue de courir à Londres. Pendant qu'on prenait un verre ensemble dans la soirée, il m'a raconté que trois semaines plus tôt il avait assisté à une bagarre à tout casser dans une petite ville proche de son propre chenil. Il disait que c'était à cause d'un grand lévrier fauve qu'une tribu de romanichels de Wicklow avait dressé pour le faire boiter. »

Fleming s'assit dans son lit et hurla rageusement :
« T'es dingue ou quoi ? Comment tu veux qu'on lui apprenne à boiter ?

— Je te répète simplement ce qu'a dit mon copain, chuchota Stapleton.

— Dans ce cas, ton copain McCarthy, ça doit être le roi des menteurs, insista Fleming sur le même ton. Enfin quoi, tout le monde sait que les lévriers ont pas de cervelle. Y a pas moyen de leur apprendre à boiter, ce qui est bien dommage, ni de leur apprendre quoi que ce soit d'autre, d'ailleurs. Cré de bon Dieu ! Un lévrier a même pas le flair d'un chien normal. Ses seules qualités, bon sang, c'est d'avoir la vue la plus perçante du monde et une incroyable pointe de vitesse.

— C'est dans un grand champ où on organisait les courses après la messe, le dimanche, que McCarthy a assisté à la bagarre, poursuivit Stapleton imperturbable. "Saperlotte, qu'il m'a dit, la bataille de Clontarf à côté c'était une première communion." Ces péquenots avaient en tout et pour tout qu'une ligne droite d'environ deux cents yards. Ils se servaient du moteur d'une vieille Ford pour actionner le leurre le long d'un rail qu'ils avaient barboté quelque part, de même que tout le reste du matériel. Le drôle de chien fauve boitait si bas en gagnant les boîtes que tout le monde s'est fichu de lui sans lui accorder la moindre chance. Ce qui fait que les romanichels ont eu une cote vachement favorable. »

L'entraîneur assena un coup féroce à la calotte de son chapeau et sa voix de fillette monta dans les aigus tandis qu'il continuait :

« Ma foi, quand la course a commencé, le grand chien fauve se portait comme un charme. Ses quatre pattes l'ont emporté comme le vent et il a gagné les doigts dans le nez. Et puis aussitôt fini, le voilà qui se remet à boiter de sa postérieure droite. Alors là, tous les gens du coin sont devenus fous furieux. "Ces bandits l'ont dressé pour qu'il boite exprès", qu'ils ont hurlé. Par tous les marteaux de l'enfer! Avant d'avoir eu le temps de faire le signe de la croix, voilà les poings et les pieds qui volent dans toutes les directions. Si j'en crois McCarthy, ces romanichels auraient été lynchés, tous autant qu'ils étaient, si la garde civile était pas arrivée à point nommé. Cela dit, ils sont pas manchots, ces vagabonds, et ils ont donné autant qu'ils ont reçu, vu qu'ils savent jouer des coudes. Et ils se sont fait payer leurs paris, par-dessus le marché, avant de quitter la ville dans leurs voitures, fiers comme des conquérants, avec leur chien boiteux.»

Fleming se glissa de nouveau sous ses couvertures et foudroya son ancien employé du regard, avec une lueur de haine au fond de ses yeux larmoyants.

«Boiteux? marmonna-t-il d'un ton désolé. Il était vraiment boiteux?

— Bien sûr qu'il était boiteux, ce pauvre malheureux, répondit Stapleton avec un sourire plein de sagesse en se relevant lentement. Les romanichels ont pas eu besoin de le dresser. Dès qu'il a aperçu le leurre...

— Que le diable t'emporte, Joe Stapleton! lança Fleming d'un ton amer.

— Quand la course a commencé, reprit Stapleton en gagnant la porte sur la pointe des pieds, son immense courage lui a fait oublier son infirmité et il a relevé le défi.

— Un chien boiteux? hurla Fleming pris de frénésie au moment où Stapleton ouvrait la porte. C'est ça, la grande nouvelle que tu m'apportes?»

Le maître de chenil passa la tête par la porte entrebâillée et dit :

«Allez, amène-le, Pat.»

Sur ces entrefaites, Pat Harris, un grand jeune homme au visage piqué de son, dont les boucles rousses sortaient en grappes luxuriantes de sous la visière relevée de sa casquette en tweed gris, fit entrer Bohunk dans la pièce au bout d'une laisse.

« Le revoilà, ce monstre, s'écria Fleming horrifié. Autant me coucher là et mourir sur place avant qu'il recommence à me porter la poisse. »

Stapleton souleva la patte postérieure droite de l'animal et expliqua :

. « Tu vois cette patte, Jack ? Il y manque deux griffes. Les romanichels l'ont trouvé pris dans un de leurs pièges à lapin, sur la montagne au-dessus de chez toi. Ils l'ont emmené avec eux et ils ont soigné sa patte. Dieu les bénisse, mais il restera boiteux. »

Puis il détacha Bohunk, qui se dirigea en claudiquant vers la carpette devant le feu et s'y allongea aussitôt.

« Que le diable t'emporte, Joe Stapleton ! brailla de nouveau Fleming. À quoi peut servir un chien bancal ? Réponds-moi, triple crétin. »

Après avoir jeté à son propriétaire fou de rage un coup d'œil d'une royale indifférence, Bohunk s'étendit de tout son long sur la carpette noire avec un profond soupir de contentement.

« En entendant le récit de McCarthy, reprit Stapleton, je suis parti pour le comté de Kerry et j'ai suivi la trace de ces bohémiens jusqu'au comté de Galway, en passant par ceux de Limerick et de Clare. J'ai entendu dire qu'ils avaient été mêlés à une autre bagarre monumentale à la foire de Ballinasloe. Mais avant que j'arrive dans le comté de Galway, ils étaient partis pour le comté de Mayo. Dans le feu de la poursuite, il a fallu que je les suive par monts et par vaux, à travers les comtés de Sligo, de Leitrim et de Monaghan, avant de réussir enfin à mettre la main sur eux dans les montagnes du comté de Louth. Alors, j'ai prévenu Pat Harris et il est arrivé avec la camionnette. »

Pat Harris regarda Fleming en hochant la tête et intervint :

« Et c'est bien heureux pour Joe que je sois venu, patron. Parce qu'il fait aucun doute que ça aurait sacrément bardé pour son matricule s'il avait essayé de s'attaquer tout seul à ces romanichels. C'étaient des drôles de coriaces auxquels on avait pas envie de se frotter, ni à la loyale ni autrement. On avait beau avoir tous les papiers en règle et quatre gars de la garde civile avec nous, ils se sont battus comme de beaux diables avant de nous rendre Bohunk.

— Dans ce cas, c'est bien dommage que tu sois pas resté chez toi, rétorqua Fleming. Je donnerais gros pour plus jamais le revoir, ce monstre. Qu'est-ce que vous voulez que je fasse d'un chien boiteux? Même s'il a retrouvé la forme, jamais j'aurai le droit de le faire courir sur une piste officielle.

— Ça c'est vrai, Jack, murmura Stapleton d'un ton enjôleur, en retournant s'agenouiller au chevet du malade. On le laisserait pas courir, et même si on l'autorisait, il peut guère faire plus de deux cents yards, c'est sa limite. Les romanichels l'ont essayé sur une plus grande distance et la malheureuse bête…

— Que le diable t'emporte, pauvre ballot! interrompit Fleming. T'es qu'un hypocrite et un imbécile. »

Stapleton lança son chapeau cabossé dans un coin de la pièce, puis il s'écria sur un ton exalté :

« Dans une de leurs roulottes, les bohémiens avaient une chienne colley qui allaitait une portée de six chiots. Chacun de ces chiots était le portrait craché de Bohunk. Écoute-moi bien, Jack. Notre champion a imprimé sa marque à chacun des rejetons de cette vilaine bâtarde. C'est pas vrai, Pat? »

Pat Harris regarda Fleming en hochant la tête et confirma :

« C'est la vraie vérité, patron. Je les ai vus de mes yeux, une portée de lévriers tout ce qu'il y a d'authentiques, sortis du ventre d'une chienne colley. Un vrai miracle.

— En tant qu'étalon, hurla Stapleton au bord de l'extase, Bohunk va faire notre fortune et stupéfier l'humanité. »

Et l'entraîneur continua de pérorer, chantant les louanges des vertus procréatrices de Bohunk, si bien que Fleming, une fois de plus, finit par se laisser emporter par une vision de gains inépuisables et de triomphales satisfactions.

« Après tout, j'ai rien à perdre ! » hurla enfin le grand Jack.

À ces mots, Stapleton se remit debout et leva vers le plafond le regard halluciné d'un fanatique.

« J'aurais dû le savoir dès le départ, chuchota-t-il extasié, qu'il était destiné avant tout à être le père de champions. Et pourtant, c'est seulement quand j'ai vu que sa semence royale avait fait des princes et des princesses des bébés de cette lamentable chienne... »

Fleming s'assit dans son lit et brailla :

« Allez, au boulot, les gars. On a du pain sur la planche. Je vais hypothéquer ma maison et mes terres pour acheter les meilleures chiennes du pays. Allons, les gars. Faut me sortir d'ici et plus vite que ça. »

Et en effet, depuis quatre ans qu'il est étalon, le monstre fauve a payé un généreux tribut aux dons de prophète de Joe Stapleton, car le talent de sa progéniture a fait du chenil de Kilsallagh l'établissement le plus prospère et le plus célèbre du pays. Bien qu'il soit encore loin d'avoir atteint les objectifs fixés par son loyal protecteur, il paraît tout à fait capable d'engendrer un millier de champions avant sa mort. C'est à Fleming, bien entendu, que le public a attribué tout le mérite des triomphes si lucratifs de Bohunk en qualité de géniteur. Pourtant, il faut bien reconnaître que le grand Jack lui-même contredit immanquablement les flatteurs qui se pressent dans le bar tapissé de chrome où il tient sa cour tous les dimanches après-midi.

« Écoutez donc, les mecs, hurle-t-il. Je dois tout à Joe Stapleton, y compris le fait que je suis encore en mesure de boire et de parier sans mettre ma santé en danger. Si Joe avait pas été là, je serais mort ruiné y a quatre ans. Il a le truc, ce salaud, encore que je sache pas si c'est un truc ou un don. Du reste on s'en fout. Le principal, c'est qu'il l'ait. »

Combat de corneilles

Vingt nids de corneilles peuplaient un chêne sur-
plombant une route de montagne, avec des oisillons
dans chacun de ces nids. C'était vers le milieu du mois
de mai et l'arbre croulait sous la verdure. Toute la journée, à plusieurs miles à la ronde, les vieilles corneilles
emplissaient l'air du bruit rauque de leurs cris.

Un nid était installé sur une branche basse à une certaine distance des autres, si bien que les passants lui
jetaient des pierres. De très nombreux touristes fréquentaient cette route, car elle menait de Dublin aux
montagnes. Un jour, trois jeunes gens qui passaient par
là jetèrent des pierres. Deux d'entre eux, après avoir
lancé deux pierres chacun, s'essuyèrent les mains sur
leur mouchoir et repartirent en disant : « Bon, pour-
suivons notre route. Il fait bien chaud pour se démener
ainsi. » Mais le troisième larron était un touriste américain qui déclara : « Non, sapristi, je vais rester ici, les
gars, et vous montrer comment on fait tomber un nid. »

Il donna six pence à un petit paysan pour lui ramasser des pierres. Après s'être évertué pendant une heure

environ, l'Américain finit par expédier un projectile qui transperça le fond du nid et le fit choir. Le jeune homme éclata de rire et s'en fut vers le débit de boissons situé un peu plus loin sur la route, où ses amis irlandais étaient allés l'attendre. Il ne prêta aucune attention à la petite corneille qui était tombée au sol en même temps que le nid. Le jeune paysan lui aussi partit en courant s'acheter des bonbons avec ses six pence, sans prendre garde à l'oisillon.

Ce dernier n'avait pas une plume sur le corps. Des espèces de piquants mous et duveteux lui poussaient un peu partout. Ayant chu dans une touffe d'herbes hautes sur le bas-côté, il était parfaitement indemne. Mais il était terrifié. Le bec grand ouvert, les ailes nues déployées, il tournait le cou en tous sens, comme s'il cherchait à le dévisser de son corps. La paille sortie du nid fracassé gisait tout autour de lui dans l'herbe verte et sur la route blanche et crayeuse.

Quand les pierres avaient commencé à fuser, les vieilles corneilles s'étaient envolées. Elles observèrent le déroulement des opérations depuis un arbre immense situé à une centaine de yards de l'arbre aux nids. Étant tout à fait habituées aux jets de pierre, elles n'étaient pas le moins du monde irritées. Elles attendirent en croassant et en aiguisant leur bec. Mais lorsqu'elles virent tomber le nid, elles firent entendre un « croa » tumultueux, prolongé et rauque. Puis elles battirent des ailes et s'agitèrent comme si elles étaient brusquement ivres et tombaient de leur perchoir.

La mère du jeune oisillon jaillit dans les airs où elle fit trois sauts périlleux de rage et de chagrin. Plutôt de rage que de chagrin, d'ailleurs, car c'était une très vieille corneille, et depuis un mois tout allait pour elle de mal en pis. Son compagnon l'avait quittée pour une femelle plus jeune et il était parti faire son nid dans un frêne sur l'autre versant de la colline, au-delà du torrent. Deux de ses petits étaient morts le jour même de leur éclosion. Morts de froid, car elle avait été obligée de les abandonner pour se mettre en quête de nourriture. Et maintenant, son troisième et dernier enfant était tombé au sol et elle n'avait même plus de nid.

Elle regagna l'arbre aux nids en émettant toute une série de cris discordants. Elle se posa sur la branche la plus haute et parcourut du regard les alentours. Il n'y avait personne en vue. Déjà un lapin s'était avancé sur la route. Il regardait partout, assis sur son derrière, les oreilles dressées. La vieille mère corneille prit son envol et vint atterrir au milieu de la route. Elle bomba le torse, cligna des yeux, pencha la tête sur le côté pour mieux écouter. Puis elle poussa un petit « croa » très doux. En réponse un murmure s'éleva de l'herbe haute sur le bas-côté, où se trouvait le bébé corneille. La vieille maman corneille se précipita dans cette direction. Quand elle vit son petit affalé sur le ventre, levant son bec distendu comme à l'accoutumée, dans l'attente de sa pitance, elle fut terrassée par l'émotion et laissa échapper une litanie de « croas » tonitruants et mélancoliques. Elle se mit à sautiller et à courir sur la route, en battant des ailes, comme si elle avait perdu la raison.

Les autres corneilles se rassemblèrent à proximité. D'aucunes planaient dans les airs sans but apparent. D'autres se posèrent sur les clôtures qui bordaient la route de part et d'autre. De temps en temps, certaines d'entre elles s'avançaient avec componction et tendaient le cou pour contempler l'oisillon sinistré. Le boucan était assourdissant.

Puis la vieille mère corneille s'envola dans l'arbre et se mit à filer de branche en branche, comme si elle cherchait quelque chose. Après quoi elle redescendit sur la route et empoigna son enfant dans son bec et ses griffes. Par un brusque battement d'aile, elle s'éleva pour aller se poser dans la fourche que formait la branche la plus basse de l'arbre. Les autres corneilles la suivirent en « croassant », lui prodiguant en quelque sorte leurs encouragements. Elle prit plusieurs minutes de repos dans la fourche, en câlinant son petit. Celui-ci, terrifié encore une fois par cette nouvelle expérience, gardait le bec ouvert, comme s'il s'attendait à être attaqué.

Puis la mère le souleva une seconde fois dans ses griffes et s'envola plus haut au prix d'un rude effort. Elle parvint à gagner l'avant-dernière branche de l'arbre. Quatre nids s'y trouvaient alignés en rang d'oignons, soutenus par les fins rameaux qui poussaient à profusion de part et d'autre de la branche, comme les dents d'un peigne. Elle planta son petit dans un nid où se trouvaient déjà deux jeunes corneilles prêtes à prendre leur envol, qu'elle agressa furieusement, à coups de bec et d'ongle, et chassa du nid. Puis elle fit de son corps un rempart à son enfant et attendit l'attaque des parents dont elle venait de déloger la progéniture. Les deux jeunes expulsés cherchèrent à ouvrir leurs ailes et à prendre leur essor, mais leurs corps étaient encore trop lourds et au lieu de s'élever ils tombèrent en diagonale et atterrirent gauchement sur le poitrail, dans le champ, à une centaine de yards de l'arbre. Ils restèrent posés là, haletants.

Leurs deux vieux parents s'envolèrent en piaulant. Ils fondirent sur la vieille mère corneille, l'attaquant de toutes leurs forces. Ils firent pleuvoir sur son dos et sa tête un déluge de coups. Ils lancèrent leurs griffes, envoyant voltiger les plumes noires de son dos lacéré. Mais elle leur résista de son mieux. Avant tout, elle se cramponna de toutes ses forces au nid, résolue à mourir plutôt que d'en être éjectée ou d'exposer son petit au trépas. Les autres corneilles se massèrent autour des combattantes. Elles faisaient un barouf de tous les diables.

Le combat dura un grand quart d'heure, puis il cessa. La vieille mère corneille était meurtrie, mais elle n'avait pas quitté le nid. Brusquement, les deux autres corneilles s'envolèrent dans le champ où leurs petits avaient atterri. Elles passèrent quelques instants à se pavaner, croassant à l'intention de leurs enfants, aiguisant leur bec, battant des ailes et faisant entendre des grondements comme si elles menaçaient de retourner s'en prendre à l'intruse.

Mais, à l'évidence, elles se ravisèrent. Au lieu de reprendre la lutte, elles entreprirent d'apprendre à leurs petits comment griffer le sol pour en extirper des vers sans les trancher du bec, ce qui les privait de la meilleure partie de la bestiole.

Roi d'Inishcam

J'étais commissaire de police dans la région de Kilmorris. C'est l'une des plus reculées d'Irlande, sur la côte occidentale. Les habitants sont pratiquement tous de pure souche gaélique et, tout au long des siècles d'occupation anglaise, ils ont conservé la plupart de leurs anciennes coutumes. Ils forment une bien belle race, industrieuse, économe, extrêmement pieuse et d'une fierté qui frôle le fanatisme. Pour illustrer ce dernier trait de caractère, l'affaire Sean McKelvey me paraît digne de passer dans la chronique.

Sean habitait la petite île d'Inishcam, séparée du continent par un étroit chenal large d'un quart de mile environ. Il n'empêche que ce minuscule détroit fait de l'île un excellent quartier général pour sa principale industrie, laquelle n'est autre, ou en tout cas ne l'était alors, que la distillation du whiskey illicite. Dans le coin, on l'appelle *poitheen*.

À l'exception d'une seule étroite crique, l'île est entourée de falaises escarpées, si bien qu'il n'y avait rien de plus facile pour les sentinelles que de donner l'alarme chaque fois que mes hommes arrivaient du continent pour se mettre à la recherche de l'alambic. Et pendant toute la première année de mon mandat dans la région, les insulaires continuèrent à distiller joyeusement leur breuvage, comme ils le faisaient depuis des siècles. De la même façon, quand leur alcool était prêt à être vendu, ils pouvaient, la nuit, filer en douce sur le continent dans leurs curraghs et disposer de leur marchandise en toute sécurité. Je ne savais plus à quel saint me vouer pour venir à bout de ce problème.

Notre force de police est une force démocratique et, tel que je comprends les choses, le devoir d'un bon officier de police est de maintenir l'ordre dans son fief en usant le moins possible de la coercition. Il n'était pas question d'adopter des mesures draconiennes vis-à-vis des vingt-cinq ou trente familles de l'île. Il y aurait eu un esclandre sur le continent, suivi des habituelles protestations auprès des instances gouvernementales à Dublin, émises par des individus qui guettent toujours la moindre occasion de taxer de tyrannie les forces de l'ordre. Je décidai que la seule chose à faire était de m'attaquer en personne à Sean McKelvey.

Celui-ci faisait la loi sur Inishcam et on l'appelait communément le Roi, titre que certaines personnes férues de romantisme prétendent issu des siècles passés, avant que la civilisation gaélique eût été renversée par les Britanniques, mais dont l'origine est en réalité assez récente et plutôt ridicule, comme il en va d'ordinaire pour la plupart de ces titres nobiliaires. Quinze ou vingt ans avant la fin du siècle dernier, une expédition de soldats et policiers britanniques envahit l'île dans l'espoir de parvenir à extorquer quelques loyers aux habitants qui n'en avaient pas payé depuis des années. À l'approche des autorités, les autochtones s'enfuirent sur les falaises, ne laissant au village que les vieillards et les bambins. L'officier responsable jeta son dévolu sur un vieux bonhomme très digne qui lui parut le plus susceptible de le renseigner et de l'aider à traiter avec les autres.

« C'est vous qui êtes le chef de l'île? » demanda-t-il.

Le vieil homme, ne comprenant pas l'anglais, s'inclina.

L'officier lui enjoignit de faire défiler ses insulaires au bureau des loyers avec l'argent qu'ils devaient dans le courant du mois, faute de quoi leurs biens seraient saisis. Puis il repartit et un journaliste en mal de copie décida de faire un sort à cet incident; son article parvint jusqu'à Londres et bientôt divers érudits et autres enfourcheurs de dadas arrivèrent dans l'île afin de rendre visite au dernier des Rois irlandais. Ce fut ainsi que le vieux McKelvey, grand-père de Sean, reçut le titre dont ses descendants héritèrent; les insulaires acceptèrent courtoisement la situation, car elle leur rapportait de l'argent sous forme de visiteurs estivaux.

Cependant, si un homme est bombardé roi, fût-ce pour rire, il acquiert, au fil du temps, des manières royales. Sean McKelvey, étant le troisième de cette lignée de monarques, était fermement convaincu de la noblesse de son sang et se comportait comme s'il était habilité par droit divin à régner sur Inishcam. Lorsqu'il se rendait sur le continent pour affaires, on l'entendit plus d'une fois déclarer que la police n'avait aucune autorité sur lui et que, si les agents faisaient la moindre tentative pour s'emparer de sa personne, il aimerait mieux mourir que de se soumettre à pareille indignité. Et les insulaires le croyaient. L'on comprendra donc aisément que ce n'était pas une mince affaire que de mettre un terme à ses activités de distilleur.

Je revêtis un costume civil et me fit transporter en barque jusqu'à l'île, sur laquelle je débarquai seul et sans armes, afin d'aller défier le Roi dans son royaume.

Il faisait une superbe matinée d'été et en sautant sur la petite grève sablonneuse je vis une foule d'autochtones traînasser sur un rocher large et plat qui domine la plage, non loin du village. Je gravis le sentier abrupt et rocailleux, qui n'était pas sans rappeler l'approche d'une forteresse. Tous les regards étaient fixés sur moi tandis que je m'avançais vers le rocher, mais personne ne dit mot. Ces gens savaient qui j'étais et n'étaient pas enchantés de me voir.

Je reconnais volontiers que je commençai à éprouver un vague malaise, car les hommes de cette île, grands, minces et aussi résistants que le tissu qu'on appelle whipcord, possèdent un physique redoutable. Le paysage était encore plus menaçant que les insulaires eux-mêmes. Au-delà du village s'étendaient quelques terres arables, plantées de seigle et de pommes de terre. Plus loin encore s'élevaient des montagnes tapissées de bruyères et entrecoupées de vallées profondes et ténébreuses. Vous pensez comme mes hommes auraient eu la moindre chance de découvrir un alambic dans cette contrée sauvage et infranchissable.

« Bonjour, bonnes gens, dis-je d'un ton amène. Je suis venu voir le Roi. »

D'un signe de tête un homme m'indiqua une maison au centre du village. Comme les autres, c'était un cottage à un étage, sous un toit d'ardoise, mais il était plus long que les habitations voisines, et ses murs, au lieu d'être blanchis à la chaux, étaient teintés de rose. Quelques fleurs poussaient dans la cour de devant, à côté d'un tas de casiers à homards et de filets suspendus là pour sécher.

Je me dirigeai à grands pas vers la demeure. Lorsque

je pénétrai dans la cour, un homme parut sur le seuil, les bras croisés sur sa poitrine. C'était Sean McKelvey, le Roi de l'île.

« Vous voulez me voir ? » demanda-t-il d'un ton hautain.

Il mesurait dans les six pieds de haut et se tenait droit comme un I. Il ne portait qu'une chemise et un pantalon, serré à la taille par un foulard rouge. Le col de sa chemise était ouvert, les manches roulées pardessus ses biceps, lesquels, du fait qu'il avait les bras croisés, étaient contractés. Il était aussi musclé qu'un boxeur bien entraîné, et en apercevant ses bras je commençai à douter que ma démarche fût raisonnable. Une broussaille dorée envahissait ses joues et sa lèvre supérieure, accentuant l'expression menaçante de son arrogante physionomie. Ses yeux bleus semblaient me transpercer, comme on dit dans les romans. À vrai dire, des pieds à la tête il avait l'air d'un roi et je regrettai bien qu'il n'eût pas choisi d'aller distiller sa cochonnerie dans une autre région que la mienne, car son type est de ceux que j'admire. La loi est la loi, cependant, et il faut l'appliquer.

« Oui, répondis-je. Je suis venu vous voir, McKelvey.

— En ami ou en ennemi ? » s'écria-t-il.

Affectant un calme que je n'éprouvais pas, je sortis une cigarette de mon étui et j'en tapotai l'extrémité contre le couvercle. Les autres hommes commencèrent à se rassembler autour de la courette.

« L'un ou l'autre, selon la façon dont vous voudrez bien le prendre, dis-je.

— Ma foi, cela veut dire que vous êtes venu en ennemi, déclara McKelvey.

— Vous savez qui je suis, j'imagine, repris-je.

— Vrai, oui, je le sais. Je sais fort bien qui vous êtes, mais je me soucie comme d'une guigne de vous ou de vos hommes. Vous n'avez rien à me reprocher. Alors je ne veux pas vous voir fouiner sur cette île.

— Oh que si, j'ai quelque chose à vous reprocher, McKelvey.

— Quoi donc?

— Vous fabriquez de la *poitheen*, par ici.

— Je me garderai bien de vous dire que oui, mais à supposer que ce soit le cas, ça ne vous regarde absolument pas.

— Je crains que si. Je suis l'officier de police de la région et je n'entends pas vous voir empoisonner la population avec votre saleté, vous ou quiconque. C'est à ce sujet que je suis venu vous voir.

— Eh bien, vous vous êtes déplacé pour rien. Je n'ai pas d'ordre à recevoir de vous, Mr Corrigan.

— Je ne vous donne pas d'ordres, mais si vous aviez le courage d'un homme, un vrai, j'aimerais conclure un marché avec vous. »

Son visage s'assombrit et il se renversa légèrement en arrière, comme s'il allait me sauter à la gorge. Il décroisa les bras et lentement ses mains descendirent le long de ses flancs, les doigts recroquevillés contre les paumes.

« Qu'est-ce donc que je vous ai entendu dire? » murmura-t-il.

Il fit deux pas en avant, sans se presser, exactement comme un animal qui prend position afin de bondir sur sa proie. Même alors, force me fut d'admirer la superbe allure du gaillard. Derrière moi, les autres villageois commencèrent à gronder et je sus qu'ils avaient tous mordu à l'hameçon.

« Si vous aviez le courage d'un homme, répétai-je d'une voix basse et insultante, j'aimerais conclure un marché avec vous.

— Et qu'est-ce qui vous donne à penser, lança

McKelvey d'un ton traînant, que je n'ai pas le courage d'un homme ? »

Au même instant, une jeune femme parut sur le seuil, un poupon dans les bras. C'était une belle personne aux cheveux roux, dans les yeux de qui je discernai une certaine surprise.

« Sean, s'écria-t-elle, qu'as-tu donc ? »

Il fit aussitôt volte-face et aboya : « Rentre dans la maison, Mary. »

Elle obéit instantanément et il se retourna vers moi.

« Dites ce que vous avez sur le cœur, lança-t-il.

— Voici ce qu'il en est, McKelvey, commençai-je avec désinvolture. Vous et votre alambic êtes un fichu point noir dans mon district. Vous vous prétendez le Roi de cette île, et moi, je suis le chef de la police locale, chargé de faire respecter la loi. Il n'y a pas assez de place pour nous deux. Donc, voici ce que je propose. Je suis prêt à me battre avec vous et à laisser le pouvoir au vainqueur. Si vous l'emportez, vous pourrez continuer à exploiter votre alambic et je vous donne ma parole d'honneur qu'à l'avenir je n'interviendrai plus dans vos affaires. Si c'est moi qui triomphe, vous viendrez avec moi jusqu'au poste de police et vous vous engagerez par écrit à démanteler votre alambic et à observer dorénavant les lois. Alors, jugez-vous le marché équitable ? Je vous le demande d'homme à homme. Si vous avez du cran, vous accepterez. »

Pendant quelques instants, il régna un silence de mort. À l'intérieur de la maison, le bébé se mit à pleurer. Puis McKelvey poussa un profond soupir, bomba le torse et opina. Je remarquai que le blanc de ses yeux s'était injecté de sang et que les veines de son cou faisaient saillie, comme si elles étaient sur le point d'éclater de colère ulcérée.

« Que le bon Dieu me vienne en aide, marmonna-t-il,

je vais vous tuer pour vous apprendre à vivre, même si je dois être pendu.

— Un instant, dis-je. Je suis venu ici tout seul. Allez-vous m'affronter à la loyale et consentir au marché que je vous propose ? »

Je voulais porter sa rage à son comble, afin d'avoir une meilleure chance de m'imposer.

« À qui donc croyez-vous avoir affaire, sacrebleu ? rugit-il. À un pleutre de votre acabit ou à Sean McKelvey, Roi d'Inishcam ?

— Marché conclu, alors, dis-je.

— Allez, en garde, brailla-t-il.

— Laissez-moi le temps de me mettre en tenue », dis-je en déboutonnant mon veston.

Tandis que j'ôtais sans me presser veston et gilet, il resta debout devant moi, tremblant de fureur, puis il parut soudain se ressaisir et maîtriser sa rage. Il se mordit la lèvre et je vis luire dans ses yeux une curieuse expression de surprise. À cet instant précis, il ne ressemblait à rien tant qu'à un fauve de la forêt africaine confronté pour la première fois à un chasseur : à la fois terrifié et hors de lui. Il se pencha pour ôter ses chaussures. Puis il rentra le bas de son pantalon dans ses chaussettes et frotta sur ses paumes un peu du sable de la cour. Quand il eut fini, j'étais prêt au combat.

« Je suis prêt, à présent, si vous l'êtes, annonçai-je.

— Dans ce cas, il va falloir avaler votre potion », siffla-t-il.

Et sur ces mots, il m'allongea un direct du droit au menton que j'esquivai juste à temps pour qu'il ne pût qu'effleurer le côté droit de ma tête. Malgré tout, j'en fus secoué jusqu'à la plante des pieds, ce qui me permit d'évaluer le calibre du bonhomme à qui j'avais affaire. Je compris que mon unique chance de salut était de parvenir à éviter la massue qui lui tenait lieu de poing droit, jusqu'à ce que sa frénésie l'eût épuisée. Tout en me déplaçant autour de la cour, sans cesser d'esquiver et de sautiller, je m'acharnai à l'asticoter afin d'attiser sa rage de mon mieux.

« Alors, comme ça, tu crois que tu sais te battre, à ce qu'il paraît, McKelvey? persiflai-je. Tu ne serais pas fichu de toucher une meule de foin. J'ai honte de me battre contre toi. J'ai l'impression d'ôter son biberon à un bébé. Tu ferais mieux de jeter l'éponge avant que je ne t'esquinte le portrait. À quoi ça rime, tout ça? Regarde-moi ça. Tu as cru que c'était ma tête alors que ce n'était qu'un peu de vide. Nom d'un chien, mais qui t'a dit que tu savais te battre? »

Et en effet, bien qu'il fût aussi fort et agile qu'un tigre, il était handicapé par sa totale ignorance des principes de la boxe. Il ne savait faire qu'une chose : lancer cette main droite terrifiante et s'en remettre à la chance. Petit à petit, il commença à fatiguer et je fus enchanté d'entendre sa respiration entrecoupée qui m'en disait long.

« Et maintenant, allons-y », me dis-je.

Je lui rentrai dedans et lui décochai deux coups au menton, derrière chacun desquels j'avais mis toute la puissance de mon corps, mais dont le seul résultat fut de me fracasser deux phalanges de la main gauche. McKelvey se rejeta en arrière puis, pour la première fois, lança à toute volée un crochet du gauche qui m'atteignit en pleine poitrine. Je reculai de cinq yards avant de m'écrouler en tas, conscient mais convaincu néanmoins que mes côtes étaient réduites en bouillie et que je n'avais plus un atome de souffle dans le corps. Un rugissement assourdissant s'éleva du groupe d'insulaires.

Je me retournai et attendis à quatre pattes d'avoir

légèrement récupéré, puis je me remis péniblement debout. Si McKelvey m'était tombé dessus sans attendre, il l'aurait aisément emporté, mais ce benêt dansait autour de la courette comme un Peau-Rouge, en se vantant de sa prouesse.

« Il n'y a pas en Irlande un seul homme à qui je ne pourrais pas en faire autant, criait-il. Ouais, ni même dix hommes. Je suis prêt à affronter tous ces maudits argousins et à leur rompre tous les os du corps. Je suis Sean McKelvey, Roi d'Inishcam, et je les mets au défi de me toucher. » Et il poussa un cri perçant dont l'écho se répercuta parmi les montagnes.

Ses hommes hurlèrent en réponse et, Dieu sait pourquoi, cela me permit de me ressaisir.

« Attends un peu, lançai-je. Tu n'en as pas encore fini avec moi, espèce d'outre gonflée de vent. Viens donc t'y frotter. »

Pliant les jambes, il marcha sur moi, la lèvre inférieure abaissée.

« Tu en veux donc encore, espèce de minus ? grommela-t-il. Très bien. Encaisse donc ça. »

Prenant tout son temps et croyant, sans doute, que parce que je courbais le dos et vacillais quelque peu je serais une proie facile, il me lança encore une fois un crochet du droit. Celui-ci fut si long à venir que j'aurais pu le contrer aisément, mais entre-temps, je plongeai et assenai une beigne de toute beauté en plein dans le mille. McKelvey grogna et se plia en deux. Alors je lâchai mes coups sans retenue, ayant découvert le défaut de sa cuirasse.

« Ne le tuez pas ! » hurla sa femme, sortie en courant de la maison.

À l'intérieur, l'enfant pleurait et quelques femmes qui s'étaient rassemblées pour regarder le combat se mirent à glapir elles aussi. Les hommes, en revanche, réunis en troupe maussade, restaient silencieux et étonnés. Chacun de leurs visages reflétait la plus complète surprise, comme je pus m'en apercevoir en jetant à la ronde un regard inquiet, car je n'étais pas du tout certain qu'ils n'allaient pas me tomber dessus pour me punir d'avoir déshonoré leur roi. Mais pas du tout. Ils nous regardaient bouche bée, manifestement incapables de comprendre par quel miracle leur chef invincible était affalé en tas sur le sol.

Le temps pour moi de me rhabiller, McKelvey avait repris connaissance. Il se remit debout et posa sur moi un regard que je n'oublierai jamais. On y discernait à la fois une haine acharnée et le reflet d'une honte qui déjà l'avait rongé jusqu'à l'âme. À ce moment-là, je regrettai du fond du cœur que l'issue du combat n'eût pas été différente. Je vis que j'avais blessé le malheureux à mort.

« Vous m'avez eu par surprise, dit-il doucement. On pourrait attendre mille ans que ça ne se reproduirait pas, même si on s'affrontait chacun des jours de ce millier d'années. Je me suis mis en colère. Vous êtes un fin matois. Bon, alors que voulez-vous de moi ? Vous avez gagné. Je ne suis pas capable de continuer. »

Et ses yeux bleus, étranges et déments, ne quittaient pas les miens, me transperçant. Sacrebleu ! jamais de ma vie je ne me suis senti aussi honteux et contrit qu'à ce moment-là.

« Il va falloir me remettre votre alambic, McKelvey, dis-je, et venir avec moi comme vous l'avez promis. »

Il baissa les yeux et répondit : « C'est fort bien. Entrez donc avec moi dans la maison. »

Et alors il se passa quelque chose de vraiment étrange. Quand je l'eus suivi à l'intérieur, il s'approcha de l'âtre où brûlait un petit feu. Il prit un petit balai de bruyère au coin de l'âtre et se mit à couvrir de cendres les braises rougeoyantes.

« Qu'est-ce que tu fais, Sean ? » demanda sa femme qui se tenait tout près avec l'enfant.

Sans répondre, il continua à ensevelir les braises sous les cendres jusqu'à ce qu'il eût éteint les flammes et que le tas eût cessé de fumer. Puis il lâcha le balai et se redressa.

« Maintenant venez dans le jardin », me dit-il.

Je le suivis par la porte de derrière dans le jardin qui jouxtait la maison. Là, il me tendit une pincée de terre et un rameau qu'il arracha d'un églantier; c'était l'ancienne formule indiquant qu'un homme renonçait à la propriété légale de sa demeure et de ses terres.

« Mais vous ne pouvez pas faire une chose pareille », protestai-je.

Il se redressa de toute sa taille et me répondit avec arrogance : « Vous avez gagné. Vous êtes désormais le maître. N'était-ce pas ce que vous vouliez ?

— Mais je ne demande rien d'autre que votre alambic. Je ne veux pas de votre maison ni de vos terres. Nom d'un chien, êtes-vous fou ?

— Vous aurez aussi l'alambic, me dit-il. Vous ne pensez quand même pas que je vais revenir sur ma parole. »

Il me fit signe de le suivre et j'obéis.

Il était toujours en chaussettes et se déplaçait avec l'agilité d'une chèvre, bondissant de rocher en rocher, au petit trot, si bien que j'avais le plus grand mal à me maintenir à sa hauteur. Nous contournâmes un éperon rocheux qui s'élevait juste derrière le village, puis grimpâmes de corniche en corniche le long d'un chemin vertigineux qui me mit le cœur au bord des lèvres, jusqu'au moment où nous débouchâmes enfin dans un ravin. Vers le milieu de celui-ci, il tourna brusquement à gauche, et quand j'arrivai auprès de lui, il était occupé à écarter les rochers qui obstruaient l'entrée d'une caverne. Nous y pénétrâmes et avançâmes dans une obscurité presque complète le long d'un étroit goulet entre deux parois lisses que j'effleurais des deux épaules chaque fois que je trébuchais sur les éclats de granit qui jonchaient le sol.

J'étais désormais au comble de la nervosité. M'a-t-il amené ici pour me tuer ? me demandais-je.

La pensée était fort naturelle. Pour un homme dans l'état qui était le sien, profondément humilié dans son orgueil à l'idée d'avoir été terrassé devant ses concitoyens, puis d'avoir accompli la cérémonie « de la terre et du rameau », quoi de plus logique que de tuer son vainqueur dans un accès de frénésie ? Je me rappelai son regard effrayant et le calme anormal qui était le sien depuis qu'il s'était relevé après sa chute.

Pour finir, je ne pus m'empêcher de lui crier d'une voix qui devait laisser percer la peur qui me tenaillait : « Où m'emmenez-vous, McKelvey ?

— Nous sommes presque rendus », répondit-il doucement.

Aussitôt, ma frayeur s'évanouit et j'eus honte de l'avoir soupçonné.

Bientôt les ténèbres s'éclaircirent, puis nous sortîmes de l'étroit goulet pour passer brusquement dans un vaste espace qui dominait la mer. Là, à mon grand étonnement, je découvris la distillerie en pleine activité, surveillée par trois hommes qui tournèrent vers nous des visages stupéfaits. L'alambic était installé dans une sorte de chambre naturelle formée par une corniche en surplomb dans la paroi de granit ; plusieurs tonneaux de produit fini étaient empilés dans un coin.

« Donnez vos ordres », dit McKelvey.

Un des hommes se mit à lui parler très vite en irlandais, utilisant le dialecte de l'île que je ne comprenais pas, bien que j'aie une assez bonne connaissance de la langue. McKelvey lui répondit assez vertement, puis les deux autres hommes se joignirent à la discussion, laquelle fut brutalement interrompue par un hurlement de McKelvey. Après quoi il se tourna de nouveau vers moi.

« Donnez vos ordres, répéta-t-il.

— Eh bien, dis-je, il me semble que le plus aisé serait de tout balancer par-dessus bord. Les rochers qui se trouvent au pied de la falaise feront le reste.

— Fort bien », dit-il.

Il se tourna vers les hommes et leur donna ses directives en irlandais. Ils obéirent avec la plus grande répugnance. Je restai à les observer jusqu'à ce que le dernier tonneau eût été traîné au bord et précipité le long de la falaise à pic pour se fracasser sur le roc, quatre cents pieds plus bas.

« Voilà qui est fait, dis-je. À présent, partons. »

Pas un mot ne fut échangé tant que nous n'eûmes pas regagné le village. Arrivé là, je remarquai que toute la population s'était rassemblée sur le rocher plat et s'entretenait avec véhémence à voix basse. Rien qu'à la façon dont on nous regarda approcher, je sus que le règne de McKelvey avait pris fin.

J'attendis dehors dans la cour, pendant qu'il entrait faire toilette. Puis il reparut, dans ses habits du dimanche.

« Êtes-vous prêt? demandai-je.

— Si ça ne vous fait rien, dit-il, je ne viendrai pas avec vous, mais je vous suis.

— Mais pourquoi ne pas venir avec moi? protestai-je. J'ai un bateau en bas qui pourra vous ramener.

— Ma foi, reprit-il, j'ai juré que jamais, moi vivant,

nul ne m'emmènerait au poste de police ou devant un magistrat.

— Mais il n'est pas question d'aller au poste de police ou devant un magistrat. C'est une affaire personnelle entre vous et moi. Ça n'a rien à voir avec les forces de la loi.

— Il n'empêche, reprit-il, les gens d'ici ne comprendraient pas. Si je partais avec vous maintenant, ils diraient que vous m'avez fait prisonnier. »

Je le contemplai ébahi. Comment pouvait-il encore faire des cérémonies après avoir si totalement rendu les armes ? Maintenant qu'il était bien vêtu il avait l'air plus royal que jamais, en dépit de la barbe naissante qui lui mangeait les joues, et personne ne pourrait croire que c'était là l'homme qui avait dansé sur place comme un Peau-Rouge après m'avoir couché au sol. Il paraissait si austère, si digne, si magnifiquement beau. Mais ses yeux avaient perdu leur regard arrogant et reflétaient l'amertume du vaincu. Il n'y avait plus de haine dans ses prunelles ; en revanche, on pouvait y voir l'image poignante d'une douleur que rien ne saurait guérir.

« Cela, je peux le comprendre, dis-je. Donc, j'ai votre parole que vous vous présenterez plus tard.

— Vous l'avez », répondit-il fièrement.

Je partis au plus vite, fort désireux de me soustraire à son regard bleu. Lorsque j'arrivai au poste et que je racontai au sergent Kelly ce qui s'était passé, il en crut à peine ses oreilles.

« Attendez un instant, lançai-je. McKelvey sera bientôt ici en personne.

— Jamais il ne viendra, déclara Kelly. Il aimerait mieux dévorer ses propres enfants, celui-là, plutôt que de mettre les pieds chez nous.

— On verra bien », ripostai-je.

Et en effet, une heure plus tard environ, McKelvey pénétrait dans nos locaux.

Entre-temps, j'avais rédigé un document qu'il signa sans même le lire. Tous ces agissements étaient extrêmement irréguliers, mais c'était pour moi le seul moyen de régler une situation difficile. Car enfin, il avait beau être un fier gaillard et tout ce qui s'ensuit, il n'en était pas moins une menace pour le public, et c'était à moi qu'il incombait de mettre fin d'une manière ou d'une autre à ses opérations illicites.

« Est-ce là tout ce que vous voulez de moi, Mr Corrigan ? demanda-t-il une fois qu'il eut signé.

— Non, répondis-je. J'aimerais serrer la main de l'homme le plus noble que j'aie jamais rencontré. »

Il contempla ma main tendue, puis il me regarda droit dans les yeux et secoua la tête.

« Oh ! voyons, McKelvey, protestai-je. Soyons amis. Il fallait bien qu'un de nous deux gagne. Je me suis fait rosser, moi aussi, plus souvent qu'à mon tour et ça m'arrivera encore. Ne m'en voulez pas pour si peu. Je tâchais simplement de faire mon devoir de mon mieux. Car enfin, vos agissements enfreignaient la loi et je devais y mettre un terme.

— Je n'ai pas enfreint mes propres lois », rétorqua-t-il tranquillement.

Et sur ces mots, il sortit d'un bon pas, tête haute.

« Tenez-le à l'œil, Kelly », dis-je au sergent.

Je me disais qu'il allait peut-être se mettre à boire dans un des pubs des environs et faire un esclandre avant de regagner son île. Fort de mes expériences passées, je savais que les hommes de sa trempe sont extrêmement dangereux une fois que l'alcool les prive de leur maîtrise de soi.

McKelvey, cependant, ne fit rien de tel. Il marcha aussitôt au rivage, les yeux fixés droit devant lui, et

regagna l'île à la rame sans parler à âme qui vive.
« Bon! eh bien, voilà une bonne chose de faite, dis-je
au sergent. McKelvey ne nous donnera plus de fil à
retordre avec son alambic.

— J'espère que non, dit Kelly, mais j'ai mes doutes. »
Mes doutes à moi étaient de nature assez différente.
Je craignais d'avoir infligé à cet homme une blessure
mortelle, et plus d'une fois au cours de la semaine
suivante je maudis le sort qui m'avait voué à devenir
officier de police, et qui plus est de posséder une
conscience chatouilleuse. Si ma victime avait été
une infâme canaille pourrie de traîtrise, je n'aurais
pas eu le moindre scrupule à l'idée de lui avoir fait
rendre gorge par le biais d'une ruse assez douteuse.
Mais c'était, au contraire, un de ces personnages
superbes qui sont on ne peut plus précieux à leur communauté, quelle qu'elle soit.

Le neuvième jour après le combat, la femme de
McKelvey me fit demander à mon hôtel alors que je
déjeunais. Je sortis la trouver. Elle paraissait malade et
folle d'inquiétude. À l'évidence, elle avait versé des
larmes très récemment.

« Je suis Mrs McKelvey d'Inishcam, dit-elle. Je suis
venue vous voir au sujet de mon mari.

— Vous paraissez souffrante, dis-je. Asseyez-vous, je
vous en prie. Puis-je vous faire servir à boire?

— Non, Mr Corrigan, répondit-elle d'une voix
douce, je n'ai besoin de rien de pareil. Mais, dites, vous
ne pourriez pas venir chez nous et faire quelque chose
pour Sean ? Il est dans un état épouvantable depuis le
jour où vous êtes venu sur l'île et j'ai affreusement peur
qu'il ne se relève plus jamais de son lit à moins que vous
ne puissiez persuader nos voisins qu'il ne s'est pas fait
arrêter.

— Que voulez-vous dire ? demandai-je.

— Eh bien, voyez-vous, les gens de l'île racontent que vous l'avez arrêté, ce qui est un mensonge, monsieur, comme vous le savez fort bien. Et ça lui a brisé le cœur qu'on dise de lui une chose pareille. Il s'est alité et il refuse le boire et le manger. Il va finir par en mourir. Je le sais bien, parce qu'il est aussi fier qu'on peut l'être. »

C'était justement ce que j'avais redouté. Je dis à la jeune femme de rentrer aussitôt chez elle et de compter sur ma visite en début d'après-midi.

« Pour l'amour de Dieu, monsieur, ajouta-t-elle, ne lui laissez pas deviner que je suis venue vous voir. Ça suffirait à l'achever.

— Ne craignez rien, Mrs McKelvey, dis-je. J'y veillerai. »

Une fois qu'elle m'eut quitté, je réfléchis profondément et finis par former un projet qui, j'en étais sûr, ne pouvait manquer de réussir avec un homme tel que McKelvey. Cette fois-ci, je me rendis sur l'île en uniforme, comme l'exigeait l'idée que j'avais en tête. Il y avait quelques hommes sur la grève, occupés à débarquer la pêche d'un des curraghs qui venaient de rentrer. Je remarquai qu'ils portaient la main à leurs bonnets et me souhaitaient le bonjour, ce qui était bien différent de leur silence renfrogné lors de ma première visite. Sans doute fallait-il en déduire qu'ils avaient transféré leur allégeance à l'homme qui avait vaincu leur Roi. Que la nature humaine est donc étrange ! La plupart d'entre eux me suivirent jusque chez McKelvey et prirent position autour de la courette tandis que je pénétrais chez lui.

« Dieu protège tous les habitants de ce lieu, dis-je en entrant.

— Et vous de même, monsieur », répondit Mrs McKelvey qui était seule dans la cuisine.

Tout en parlant, elle posa un doigt sur ses lèvres pour me rappeler que je ne devais pas parler de sa visite à mon hôtel.

Opinant, je demandai : « Mr McKelvey est-il chez lui ?

— Il est dans sa chambre, monsieur, au lit, répondit-elle. Donnez-vous la peine d'entrer. »

Je la remerciai et passai dans la chambre où je trouvai McKelvey allongé à plat dos dans son lit, les bras croisés sur la poitrine, la tête soutenue par des oreillers. Il avait le teint très pâle, l'œil creux. Je m'approchai du lit à grands pas, le visage déformé par une expression courroucée.

« Dites donc, McKelvey, c'est comme cela que vous tenez votre parole ? persiflai-je. Qu'est-ce que ça veut dire, nom d'un chien ? Est-ce que vous essaieriez de vous fiche de moi ? »

Je parlai le plus haut possible, de façon que les flâneurs au-dehors pussent entendre. McKelvey resta quelques instants sans bouger. Puis il s'assit tout droit dans son lit et la couleur revint sur ses joues pâlies. L'ancienne lueur se mit à flamboyer dans ses yeux. Il rugit à l'adresse de sa femme.

« Donne-moi donc mes habits, Mary ! Et vous, sortez de ma chambre. Je vous parlerai debout et je vous parlerai dehors, parce que je ne veux pas commettre un meurtre dans ma propre demeure. »

Je quittai la maison et attendis qu'il se fût habillé. J'entendais les gens murmurer derrière moi dans la cour et je me demandai ce que j'allais récolter en provoquant la fureur de cet homme qui désormais avait fort probablement perdu l'esprit. Cependant, en le voyant s'avancer vers moi, serrant autour de sa taille son foulard rouge, car il était vêtu exactement comme le jour de notre combat, je compris aussitôt qu'il avait toute sa raison.

« À présent, vous pouvez dire ce que vous avez à dire, s'écria-t-il. Et cette fois, je vous en avertis, ce sera un combat à la mort.

— Je ne veux pas me battre avec vous, McKelvey, répondis-je. Aujourd'hui, je suis venu ici en qualité d'officier de police pour me plaindre, et voici de quoi il s'agit. Il y a neuf jours, vous êtes venu dans mon bureau de votre propre gré et vous vous êtes engagé, en tant que Roi de l'île d'Inishcam, à empêcher vos insulaires de fabriquer de l'alcool et de le vendre illégalement sur le continent qui se trouve être mon territoire. Est-ce vrai ou non ? Est-il exact que vous vous soyez présenté volontairement dans mon bureau pour prendre cet engagement ? »

Il me dévisagea fixement, puis il répondit d'une voix forte : « C'est vrai.

— Et il est vrai aussi, n'est-ce pas, que vous êtes le Roi de cette île ?

— Oui, c'est vrai, s'écria-t-il d'une voix encore plus forte.

— Fort bien. Alors, dans ce cas, pourquoi ne tenez-vous pas votre promesse ?

— En quoi y ai-je manqué ? lança-t-il furieux.

— On m'a fait savoir qu'un de vos hommes s'est rendu sur le continent ces jours derniers pour tenter d'acheter un alambic en lieu et place de celui que nous avons jeté du haut de la falaise. »

Inutile de dire que personne ne m'avait rien fait savoir de pareil, mais je subodorais qu'une semblable démarche était loin d'être impossible. De toute façon, ma ruse fit l'effet escompté.

McKelvey bomba le torse et tonna : « Peut-être a-t-on vu un de mes hommes sur le continent à la recherche d'un alambic, mais s'il a le malheur de le débarquer sur cette île, je lui romprai tous les os du corps. Je suis malade depuis une semaine, mais à présent me voici sur pied, et vous pouvez croire, parole d'Évangile, que si je dis qu'une chose sera faite, elle le sera.

— Ma foi, dans ce cas, dis-je d'une voix confuse, je suis vraiment désolé de vous avoir parlé de façon si désobligeante, McKelvey. Veuillez m'excuser. Je n'ai plus qu'à vous demander pardon.

— Je vous pardonne bien volontiers, Mr Corrigan, dit-il le visage rayonnant. Et maintenant, monsieur, permettez-moi de serrer cette main que j'ai refusé de prendre l'autre jour, si vous voulez bien me faire l'honneur. »

Nous nous serrâmes la main, et je crois bien que jamais de ma vie je n'ai été aussi heureux qu'en saisissant la main de ce magnifique gaillard. Et par la suite, pendant tout le temps où je suis resté en poste dans la région, jamais je n'ai eu à sévir contre les habitants d'Inishcam parce qu'ils fabriquaient de la *poitheen* en fraude.

L'âne de Timoney

Sur la petite île de Finnbar vivait un vieux pêcheur du nom de Timoney à qui la police cherchait sans arrêt des histoires, et ce pour deux raisons : d'abord parce qu'il introduisait sur l'île du whiskey de contrebande en provenance du continent et ensuite parce qu'il était propriétaire d'un certain âne noir.

Timoney n'avait pas de terres, si bien que le baudet en question ne pouvait paître ailleurs que dans la courette située devant la maison de son maître ou bien le long de la route. Dans cette petite cour pierreuse, nulle végétation ne poussait en dehors de rares touffes d'églantiers et d'orties qui se faufilaient sous la clôture. Elles n'allaient pas bien loin d'ailleurs, car l'animal affamé croquait les pousses avant même qu'elles eussent le temps de s'épanouir sous les rayons du soleil.

Le bas-côté de la route, en revanche, était un paradis d'herbe luxuriante. Mais hélas ! selon les termes de la loi, il était interdit de marauder sur la voie publique. Tout animal pris à dévorer l'herbe savoureuse devait être poursuivi en justice.

Pendant la saison de la pêche, d'avril à novembre, l'âne noir menait une vie qui n'était pas tout à fait misérable. Tous les jours, depuis le hameau de Clash où il habitait, Timoney se rendait jusqu'à Port Morogh, le principal village de l'île, apportant des homards et divers poissons dans des paniers posés sur le dos de sa monture. Il vendait ses prises aux touristes ainsi qu'aux fonctionnaires du gouvernement qui résidaient à Port Morogh. Du fait que Timoney était un vieillard qui cheminait très lentement, l'âne avait tout loisir de brouter en marchant. À la fin de chaque trajet, il s'était d'ordinaire rempli la panse.

Mais l'hiver, il en allait bien autrement. C'était alors que Timoney faisait ses allées et venues jusque sur le continent, dans son petit bateau, rapportant des tonneaux de ce feu liquide qu'on appelait *potheen*. Il enfouissait cet alcool dans des vallons isolés, puis le revendait secrètement aux gens de l'île. Le vieux filou était si rusé que les policiers ne parvenaient jamais à le pincer, en sorte qu'ils se vengeaient sur son âne.

Compte tenu des dures nécessités de son existence, le pauvre animal était devenu aussi malin que son maître. Il n'allait paître au bord de la route que nuitamment, s'avançant à pas feutrés dans l'ombre de la clôture, ses longues oreilles dressées afin de mieux entendre l'arrivée inopinée de ses ennemis. À la lumière du jour, il reconnaissait aisément les uniformes bleus et prenait la fuite dès qu'il les apercevait. Dans les ténèbres de la nuit, en revanche, il arrivait bien souvent qu'ils lui tombassent dessus avant qu'il eût conscience de leur proximité. Et alors, ils s'emparaient de lui et l'emmenaient en prison.

La prison réservée aux animaux qui enfreignaient la loi s'appelait la Fourrière. C'était un minuscule champ circulaire, situé derrière le tribunal du village de Port

Morogh. À l'intérieur de cette enceinte, la terre était aussi nue que le crâne d'un moine, en raison du nombre élevé d'animaux que l'on ne cessait d'y incarcérer. Il faut bien reconnaître qu'à cette époque les habitants de Finnbar s'adonnaient plus que volontiers à ce vice qu'était la maraude sur la propriété d'autrui. Leurs terres, en effet, étaient très pauvres et pourtant ils dépendaient entièrement d'elles pour leur viande et leur habillement. Par conséquent, l'herbe était pour eux plus précieuse que l'or. Ils envoyaient constamment leurs animaux paître sur le territoire de leurs voisins, lesquels se vengeaient en emmenant les envahisseurs à la Fourrière. Les propriétaires des bêtes captives filaient alors au poste de police, payaient l'amende prévue par la loi, et recouvraient leur bien.

Jamais les autres animaux ne restaient à la fourrière plus d'une journée, mais le baudet de Timoney y languissait souvent toute une semaine, son maître n'étant pas du tout pressé de le récupérer. Force est de reconnaître que le vieillard n'était en aucune façon un homme estimable. Loin d'avoir pitié de son âne, Timoney l'aurait abandonné à l'intérieur de la fourrière tout l'hiver pour y crever de faim s'il ne s'était pas dit qu'il aurait de nouveau besoin de lui au printemps pour porter sa pêche. Timoney savait aussi que l'amende augmentait proportionnellement à la durée de la détention, si bien qu'il la payait au bout d'une semaine, puis fouettait l'animal en le ramenant chez lui.

Vint le jour où le pays se souleva contre le gouvernement et où la guerre éclata sur le continent. L'île de Finnbar ne fut pas mêlée à cette révolte, ce qui n'empêcha pas les habitants d'en tirer bénéfice, car le gouvernement fut contraint de retirer ses garnisons des avant-postes isolés pour se concentrer sur la nécessité de tenir les villes importantes contre l'armée du peuple. Un jour, au début de l'été, une canonnière venue du continent emporta les fonctionnaires. Policiers, garde-côte, magistrat et jusqu'à l'huissier s'embarquèrent tous à bord du navire. Pour le maintien de l'ordre public, les insulaires ne pouvaient plus désormais compter que sur eux-mêmes.

Cet événement fut une véritable bénédiction pour l'âne de Timoney. Non seulement le libérait-il des hommes en bleu, qui se faisaient un malin plaisir de le traîner en prison, mais il le débarrassa en outre d'un maître cruel. Timoney pleura amèrement l'évacuation, car elle le privait d'un débouché tout trouvé pour ses délicieux homards. Par ailleurs, l'esprit de contradiction est si puissant chez l'homme que les habitants de Finnbar, à peine la police eut-elle tourné les talons, devinrent infiniment respectueux des lois et, sous la conduite de leur curé, prirent les mesures qui s'imposaient pour mettre fin au trafic d'alcool. Si bien que Timoney se trouva ainsi orphelin de ses deux marchés. Son esprit fut si mortellement atteint par cette double calamité qu'il en tomba malade et mourut. Comme il n'avait aucune famille, personne ne vint réclamer ses biens. Et l'âne noir recouvra sa liberté faute de propriétaire.

Au début, l'heureux animal n'eut pas conscience de cette émancipation. Lorsqu'il sortait brouter le long de la route, la nuit, il gardait les oreilles dressées comme avant, guettant l'approche de ses ennemis. Le matin, quand il s'en retournait dans la cour de son défunt maître, des frissons parcouraient son pelage couturé de cicatrices. Mais la porte de la cabane restait close, personne ne venait lui passer de licol et, au bord de la route, il rencontrait d'autres animaux qui paissaient sans crainte apparente. Aussi, avec le passage du temps, devint-il plus hardi.

Il se mit à arpenter la route en plein jour et à brouter à volonté. Son pelage noir fut bientôt étoffé par une chair plantureuse. Les sillons qu'avait laissés le fouet disparurent, ainsi que les plaies qui lui marquaient l'échine. Du temps où Timoney était encore en vie, l'âne, quand il ne travaillait pas, était affublé d'une longe-licol. Il s'agissait d'un licol prolongé par deux lanières attachées aux boulets des pattes antérieures, ce qui l'obligeait à garder la tête courbée presque jusqu'au sol. Maintenant, libéré de ce carcan et stimulé par une alimentation riche et régulière, l'âne peu à peu releva la tête et dressa le cou. Lorsque son pelage d'hiver commença à pousser, avec l'arrivée des premiers vents froids en provenance de l'Océan, l'âne noir qui avait jadis eu pour maître Timoney, le vieux pêcheur, était retourné à l'état sauvage.

Un matin, alors qu'il quittait l'endroit où il passait la nuit dans la cour de feu son propriétaire, une forte averse de grêlons s'abattit sur le sol. Elle fouetta aussi le pelage de l'âne comme autant d'éperons acérés. La violence des coups, ainsi que la sauvage harmonie de la tempête, déchaînèrent sans retenue la nouvelle vigueur qui montait en lui depuis que sa situation avait changé. Il resta quelques minutes les oreilles dressées, les naseaux dilatés, arc-bouté contre la grêle. Puis il émit un ronflement et commença à trotter autour de la cour, ses sabots dépourvus de fer martelant sourdement le sol gelé. Il tourna comme une toupie autour de l'enclos, prenant de la vitesse, jusqu'au moment où il passa brusquement au galop et ouvrit toutes grandes les mâchoires pour braire sur une note perçante.

Soudain, il interrompit son circuit et bondit par un trou dans la clôture où il y avait eu naguère une barrière en bois. Il remonta le chemin au galop, puis tourna sur la grand-route. Il la suivit un certain temps, jusqu'à l'endroit où elle croisait un autre sentier qui serpentait vers le nord, en direction du sommet montagneux de l'île. La tempête venait du sud, où l'Océan s'étendait à perte de vue. À demi porté par la force du vent, l'âne continua à escalader au galop le sentier escarpé qui menait vers le nord jusqu'à la montagne. Brusquement, le sentier s'arrêta et l'animal se retrouva dans un étrange lieu, sauvage et inhabité. Il ralentit, baissa la tête, renifla le sol et avança au pas, très lentement.

Tout le jour, il gravit le flanc de cette étendue de lande, s'arrêtant de temps à autre pour brouter la bruyère, ou boire l'eau douce des ruisseaux mélodieux. À la tombée de la nuit, il traversa une gorge rocailleuse où il vit des chèvres sauvages qui le contemplaient du bord d'un rocher escarpé. Puis il n'y eut plus rien d'autre qu'un vide silencieux et la forme vague d'un aigle planant très haut dans le ciel. Il atteignit le sommet où il trouva à s'abriter sous un rebord rocheux. Là, il huma le sol, tourna plusieurs fois sur lui-même et s'allongea. Il se roula sur le dos, interminablement, grognant de ravissement.

S'étant roulé par terre tout son soûl, il ressortit de son abri, s'avança jusqu'au bord du sommet et regarda vers le bas. Très loin au fond du creux, il apercevait la grand-route et les villages où vivaient les gens. Plus loin encore, il vit la mer qui se cabrait en vagues colossales sous le fouet du vent. Là, au-dessous de lui, tout n'était que tumulte et malaise. Sur la montagne régnaient le silence et la paix.

Alors l'esprit du petit âne noir se mit à exulter. Il leva la tête, ouvrit toutes grandes ses mâchoires et se mit à braire de toutes ses forces. Sa voix rauque, dont l'écho se répercutait à travers les mystérieuses cavernes rocheuses de la lande sauvage et silencieuse, était triomphante.

Une partie de pêche

Par une matinée ensoleillée de juin, Michael Dillon, gentleman campagnard peu fortuné, et son fils Thomas, qui faisait des études d'ingénieur et qui était venu passer ses vacances chez ses parents, pêchaient le lieu. Voici comment ils s'y prenaient.

Chacun avait une canne en saule d'environ trois pouces de diamètre à l'extrémité la plus large s'affinant légèrement vers le bout et mesurant environ six pieds de long. Quelques brasses de fil à pêche étaient enroulées sur la canne et les deux pêcheurs tenaient lovées dans la main droite huit autres brasses au bout desquelles un hameçon était attaché par un fil très fin et très solide.

Utilisant comme appâts des morceaux de maquereau cru, ils jetaient leur rouleau de fil, puis dès que l'hameçon et son appât s'enfonçaient un peu, ils commençaient à ramener le rouleau vers eux, très lentement.

Ils pêchaient sur un promontoire de pierre calcaire, carré et plat, qui faisait saillie le long d'une haute

215

falaise, dans le coin est d'une petite anse exposée au sud et à toute la violence de l'Atlantique. C'était un endroit si accidenté et criblé de trous, partout où la mer avait rongé sa surface, qu'on ne pouvait le traverser que chaussé de souliers en cuir vert. Et même ainsi, il était difficile à quiconque n'était pas un homme jeune et actif de bondir d'un éperon rocheux à l'autre et de garder son équilibre sur la mousse et les petites patelles pointues accrochées à leurs flancs. À marée haute, ce promontoire disparaissait sous l'eau qui montait assez loin le long de la paroi grise de la falaise. Mais à marée basse, il émergeait complètement, et tout autour de sa bordure de rochers, ourlés d'algues rouges et luisantes, la mer montait et descendait dans un doux clapotis.

Ce matin-là, tandis que Dillon et son fils se tenaient à quelques yards l'un de l'autre, tout au bout de la pointe méridionale du promontoire, la mer était d'huile. Les algues étincelaient au soleil. Derrière eux, la surface noire du rocher plat et vérolé vrombissait de vie, peuplée d'insectes respirant à grand bruit et rampant dans les fissures et les trous, comme s'ils suffoquaient sous les feux du soleil et suppliaient la marée de revenir les engloutir au plus vite. On entendait, à la pointe du promontoire, une exquise musique, calme et sonore, montant de la mer que le ressac faisait aller et venir au-delà de la pointe. C'était un concert de glouglous, de chuintements, de cascades s'égrenant dans des bassins profonds, ainsi que de gifles puissantes, s'entremêlant tous dans une mélodie apaisante et endormie. L'air était vif et tiède, et une odeur de mousse marine séchant au soleil s'élevait, une odeur pure, saine, qui donnait faim.

Thomas Dillon savourait ces odeurs, ce paysage, la symphonie marine et toutes les sensations de ce matin d'été sous le chaud soleil. Il lança sa ligne d'un geste languide, la ramena, examina son appât et la relança. Le tout sans cesser d'inspirer par le nez de profondes bouffées d'air, jusqu'à ce qu'il eût l'impression que sa poitrine allait faire éclater son chandail, et d'expulser ensuite l'air par la bouche. Parfois, il souriait rêveusement, montrant des dents blanches parfaitement alignées. C'était un grand jeune homme bien bâti, d'environ vingt-trois ans, qui portait des chaussures de tennis blanches, un pantalon de flanelle grise et un chandail bleu. Il était nu-tête, les cheveux blonds coupés court. Il avait des yeux rêveurs, très bleus, et des oreilles rouges assez grandes. Il se tenait les pieds rapprochés, à l'extrême bord du rocher, se penchant parfois en avant comme s'il voulait se lover sur la mer qui courait à ses pieds et s'y endormir.

Son père, Michael Dillon, occupé à pêcher trois yards plus à droite, était dans des dispositions totalement différentes. Sa longue figure, maigre et osseuse, était figée dans une grimace désespérément maussade, si bien que ses yeux bleus flamboyaient et que la peau de son long nez, rouge et pointu, paraissait en danger de se craqueler. Le microbe le plus microscopique, cheminant le long de l'étroit sillon rouge au fond duquel ses lèvres se rejoignaient, n'aurait pas trouvé moyen de pénétrer dans sa bouche. Sa barbe grise duveteuse sortait de sous son menton rouge et se détachait contre l'écharpe de laine blanche entortillée autour de son cou avec une espèce d'agressivité et de mauvaise humeur. Un chapeau mou noir, à large bord, couvrait sa tête grisonnante, et le reste de sa personne disparaissait sous un costume brun et vague complété par des chaussures en vachette non traitée. Chaque fois qu'il lançait sa ligne et la ramenait à petits coups secs, comme s'il cherchait à déchirer une vague avec l'hameçon, il poussait un « Hon ! » féroce. Il avait un rhume de cerveau, il pêchait depuis deux heures sans succès et il était par conséquent d'une humeur de dogue. En plus de quoi, la marée allait tourner d'ici quelques minutes, si bien qu'il devrait quitter la pointe.

« As-tu jamais rien vu de pareil ? » brailla-t-il d'une voix forte et coléreuse en se tournant vers son fils. Il était tellement courroucé qu'il en bégayait et ne cessait d'essuyer sur son pantalon sa main gauche parfaitement propre et sèche. « Rien ne mord. Que le diable les emporte ! »

Le fils haussa les épaules et sourit.

« Bah ! quelle différence cela fait-il ? répondit-il. Nous profitons du bon air et du paysage et nous aiguisons notre appétit. À cet instant précis, je pourrais dévorer un cheval. Et si je ne prends pas un poisson, je m'en contrefiche. »

Le père eut un rictus méprisant et lança : « Peuh ! » avec la férocité d'un chien reniflant un terrier de lapin. Il tapa du pied, foudroya son fils du regard et fit claquer ses doigts : « Quel piètre individu tu fais ! hurlat-il. Tu restes là à me regarder me mettre en quinze pour attraper des lieus et puis tu as le… le… le toupet de te détourner pour dire : "Bah ! quelle différence cela fait-il ?" » Le père voulut imiter la voix plus douce de son fils, mais il ne parvint qu'à émettre une espèce de glapissement aigu de femme.

Le fils rit, sans répondre.

« Ce n'est pas parce que je veux du lieu, continua le père, non je m'en fiche éperdument, du lieu. Je serais prêt à rejeter à la mer le plus superbe de tous les lieus après l'avoir attrapé. Mais c'est l'idée de monter jusqu'ici et de passer deux heures sottement planté sans faire la moindre touche qui m'exaspère. Et qui devrait t'exaspérer toi aussi, si tu n'étais pas un de ces fichus

218

mais-non-mais-non-allons-voyons. Bah! que le diable emporte tout ça!»

Le père se mit à pester tout bas et à éternuer entre deux jurons. Il restait là, son rouleau de fil à la main, comme s'il se demandait s'il valait mieux le relancer encore une fois ou s'en aller. Au même instant, le poisson mordit à la ligne du fils. Il se tenait face à son père, riant gentiment, le flanc droit vers la mer, tirant distraitement sur son fil, quand une bonne brasse de celui-ci lui fut brusquement arrachée de la main.

« Ça y est, ça mord », s'écria-t-il, soudain tout excité, en pivotant sur ses talons; ses mains tremblaient tandis qu'il empoignait la ligne tendue, les yeux brillants, ouvrant grande la bouche dans son agitation. Il lâcha sa canne, une pipe tomba de sa poche-revolver et sa chaussure de tennis blanche s'enfonça jusqu'à la cheville dans une petite flaque d'eau sans qu'il y prît garde. « Ça mord », répéta-t-il en s'efforçant de reprendre le contrôle de sa ligne et d'enrouler le fil.

« Mollo! mollo! que le diable emporte tout ça!» s'écria le père en franchissant gauchement les trois yards de flaques, de crevasses et de rochers pointus qui le séparaient de son fils. Les yeux lui sortaient de la tête d'énervement. Il avait tiré si loin sa langue étroite et rouge qu'elle lui humectait le menton. Il tomba à genoux aux pieds de son fils, et en cherchant fébrilement à se relever il dut se suspendre à la taille du jeune homme.

« Lâche-moi! » cria ce dernier. Sa voix avait perdu sa douceur et elle était aussi rude que celle de son père.

« Lâche-moi, nom de Dieu, bafouilla-t-il en titubant sur les rochers inégaux et en essayant d'enrouler son fil. Tu ne vois donc pas qu'il est en train de filer dans les algues. Recule.

— Donne-moi cette ligne, imbécile! cria le père.

Sapristi, qu'est-ce que c'est que cette façon d'amener ton poisson ? Non, pas d'à-coups ! hurla-t-il en voyant son fils donner une brusque secousse pour tâcher de dégager son fil d'un petit éperon contre lequel il s'était coincé. Abruti, abruti, reprit le père, tu ne vois donc pas ce que tu fais ? Pourquoi n'as-tu pas cherché à jouer avec lui ? Donne-moi cette ligne ou je t'envoie rejoindre ta prise. Allez, lâche ou bien…

— Oh ! bon, prends-la et puisse-t-elle t'étrangler, lança le fils furieux, en lâchant la canne et en faisant un pas en arrière.

— Hon ! » fit le père. Et puis instantanément il oublia son fils et sa colère. Son visage rayonnait de plaisir et il bougeait avec autant de circonspection qu'un chat qui traque une souris. Il se mit à suivre le bord du promontoire pour gagner une saillie à demi submergée. Il y avait là environ un pied et demi d'eau et un tapis d'algues rouges. L'endroit était extrêmement glissant.

« Tu cherches à te noyer ou quoi ? demanda le fils d'un ton irrité. Ne va pas là-dessus.

— Retourne donc auprès de ta mère, dit le vieil homme en posant précautionneusement le pied sur les rochers submergés. D'ici, je vais pouvoir le sortir de ces algues. Attends un peu, tu vas voir… À moins qu'il ne parvienne à se libérer de l'hameçon à sa prochaine ruée. Je vais…

— Attention ! » hurla brusquement le fils.

Trop tard. Brusquement l'Océan s'était soulevé et le père se retrouva dans l'eau jusqu'à la taille. Il chercha à reprendre son équilibre, poussa un nouveau « Hon ! » puis un juron en tombant la tête la première à la mer. L'instant d'après, il nageait en toussotant, sa barbe grise étalée devant lui, la main qui tenait la ligne et la canne à pêche brandie gauchement, comme s'il s'agissait d'un fusil qu'il cherchait à tenir au sec.

« Allons bon, qu'as-tu donc fait, à présent, cré de bon sang de bonsoir! brailla-t-il. Tu m'as noyé.

— Papa, papa, tiens bon!» cria le fils, très inquiet. Sa voix s'étrangla. Il s'immobilisa un instant au bord du rocher, frissonnant légèrement, comme un chien qui craint l'eau froide, puis il plongea. Il fit surface à côté de son père et chercha à l'empoigner par le bras.

« N'approche pas, jeune crétin, crachota le vieil homme en le frappant à coups de canne. Écarte-toi, garçon. Ne t'emmêle pas dans la ligne. Au large. Au large.» Et il lui martela l'épaule avec la canne.

Dans son agitation, le fils crut que son père avait perdu la raison et il tenta de le maîtriser. Et peut-être eussent-ils risqué de se noyer, si au même instant une nouvelle vague ne les avait pas hissés sur la plate-forme submergée. Ils se retrouvèrent prostrés à sa surface, cramponnés aux algues. Puis ils rampèrent un peu plus loin.

« Je le tiens toujours, s'écria le père tout faraud, en tâtant sa ligne et en commençant à enrouler le fil.

— Oh! que la peste l'étouffe!» rugit le fils en secouant son pantalon qui lui collait aux cuisses comme un cataplasme.

Le père ne lui prêta aucune attention. Il tirait sur son fil, les lèvres découvrant ses dents serrées, ponctuant chaque geste d'un « Hon! » appliqué. Enfin, il y eut un bruit mou, des éclaboussures et le père fut propulsé en arrière sur les fesses avec entre les jambes un énorme lieu haletant qui faisait bien ses trois pieds de long et battait le roc de sa queue triangulaire.

« Oh! là! là! mes enfants, s'écria le vieil homme assis sur son séant, en attrapant le poisson par les ouïes. Oh! mon trésor, tu valais la peine de risquer la noyade. Je te le jure. »

L'arrestation

Rien ne brillait au firmament, ni lune ni étoiles. Une grisaille nocturne enveloppait le paysage, succédant au soleil d'un jour d'été. Le silence et la chaleur étouffante rendaient les montagnes terrifiantes. On aurait dit des créatures pachydermiques vautrées immobiles sur le sein de la terre.

En bas, dans la vallée, Mary Timmins attendait son mari. Assise au coin du feu de la cuisine, elle tricotait. La porte était grande ouverte afin qu'elle pût l'entendre approcher. Chaque fois qu'un courlis lançait son appel ou qu'une des bêtes du marécage faisait entendre un son perçant, elle sursautait, l'oreille aux aguets.

Elle avait grandi dans un village des basses terres, où les grandes plaines à la végétation luxuriante engendrent des habitants obèses et endormis. Elle était terrifiée par la solitude de ce repaire de montagne, avec sa population féroce et son étrange immobilité, les nuits d'été. Dans sa jeunesse, quand elle se réveillait la nuit, elle entendait des trains foncer dans l'obscurité sur

223

la voie ferrée et des bruits qui évoquaient les êtres humains, la paix, la compagnie. Mais ici, même en plein jour, il y avait toujours une atmosphère de mystère et de danger imminent, à croire qu'une horde d'individus prédateurs rôdaient dans la montagne comme ils l'avaient fait jadis, si l'on en croyait les légendes.

Ce soir, elle éprouvait une autre crainte, elle pressentait qu'il allait se passer quelque chose d'épouvantable. Son mari s'était rendu dans la petite ville située à l'entrée de la vallée. Chaque fois qu'il y allait, il revenait ivre, ce qui en soi était déjà effrayant. Elle était toujours terrorisée en voyant ses yeux flamboyer et son corps entier trembler d'agitation nerveuse. Quand ils avaient trop bu, les habitants des basses terres riaient beaucoup et devenaient idiots, mais dans la montagne, l'alcool rendait fou.

Enfin, un bruit lointain lui parvint. Aussitôt, elle se précipita à la porte. C'étaient les sabots d'un cheval frappant rapidement le sol, un cheval au galop. Le bruit provenait d'une colline basse qui s'élevait devant la maison. On y discernait les formes indistinctes d'une paire de vaches en train de paître. Plus près, il y avait deux chèvres dressées côte à côte sur un monticule. À gauche se trouvait la maison de son voisin, une longère en pierre coiffée d'un toit de zinc, exactement comme la sienne. Tout était gris.

Le son se rapprocha. À présent un bruit de roues se mêlait à celui des sabots. Puis un cheval en pleine course apparut au sommet de la colline. Il plongea immédiatement. Suivit un cabriolet où deux hommes étaient assis l'un à côté de l'autre. Leurs silhouettes se détachèrent un moment contre le ciel. Ils étaient nutête. Puis ils plongèrent à leur tour.

Mary poussa une exclamation, se signa et rentra à

toutes jambes dans la cuisine allumer la lampe. Jusque-là, elle s'était contentée de la lueur du feu, parce qu'elle avait peur de celle de la lampe. Dieu sait pourquoi, dans son esprit craintif, celle-ci risquait de révéler son existence à ces effroyables montagnes et aux individus imaginaires qui les hantaient.

La lampe jeta un éclair en s'allumant. Le joli petit corps potelé de la femme sortit de l'ombre : ses joues rougies par la lumière et l'excitation, ses yeux apeurés, son cou blanc frissonnant, ses cheveux noirs soigneusement empilés. Dans l'âtre, le feu de bois rougeoyait au milieu d'un tas de cendres jaunes.

Quand elle revint sur le pas de la porte, le cheval et le cabriolet s'étaient arrêtés devant la barrière. Les hommes avaient mis pied à terre et parlaient d'un ton agité.

« Jim, appela-t-elle, c'est toi ? Qu'est-ce qui se passe ?

— Tiens ta langue, bonne femme, répondit-il courroucé. Ouvre la barrière, Joe. On va juste l'abriter dans la grange jusqu'à demain matin. Si tu passes par Ballymore, ils t'y attendront. »

Mary se mit à trembler. Elle fut sur le point de parler de nouveau, mais se ravisant, elle repartit en courant dans sa cuisine et se planta toute tremblante devant le feu, les mains jointes. Elle entendit la barrière s'ouvrir et le cheval traverser la cour au trot. La porte de la grange s'ouvrit. Le cheval et le cabriolet s'y engouffrèrent dans un roulement. La porte se referma. Puis les deux hommes se dirigèrent d'un pas vif vers la maison.

« Jim, cria-t-elle encore une fois, qu'est-ce qui se passe ?

— Pas grand-chose, répondit Jim avec un rire enroué, juste un membre de la garde civile qui gît à Dromolin, le crâne fendu. Que le diable l'emporte !

Entre, Joe. C'est bien le dernier endroit où ils viendront te chercher. »

Les deux hommes pénétrèrent dans la cuisine. Timmins était un homme grand et souple, avec un beau visage rieur et des boucles blondes qui auréolaient son visage sous sa casquette jaune. Son cousin, Joe Sutton, petit et brun, était un homme maussade et névrosé, au nez crochu. Tous deux étaient vêtus de bleu. Sutton n'avait pas de casquette. Ses cheveux étaient collés à son crâne par la transpiration.

Timmins s'approcha de sa femme et l'embrassa à plusieurs reprises en lui disant des mots doux entre deux éclats de rire. Elle se mit à sangloter sur sa poitrine, affolée. Ses pleurs l'irritèrent.

« Pourquoi tu pleures ? demanda-t-il.

— C'est toi qui l'as frappé, Jim ? bredouilla-t-elle.

— Bien sûr que non, s'esclaffa-t-il, c'est Joe.

— Sors donc dans la cour pour le hurler aux corneilles ! lança d'un ton furieux Sutton, assis sur un tabouret près de l'âtre, occupé à essuyer le sang qui souillait sa main droite.

— T'en fais pas, Joe, dit Timmins en riant. Qu'est-ce que c'est qu'un coup sur la tête. Bon Dieu, je regrette bien de pas l'avoir donné moi-même.

— Que Dieu te pardonne, Jim ! s'écria Mary. Il est gravement blessé ? »

Ni l'un ni l'autre ne répondirent. Une fois dissipée l'agitation de leur arrivée, Timmins devenait plus pensif et Sutton était dans un état de nervosité extrême. Son visage était défiguré par des tics et il ne tenait pas en place. Mary se tenait près de la table, toujours aussi tremblante, observant les deux hommes.

« Fais-nous une goutte de thé, dit Timmins. Chut ! Qu'est-ce que c'est ? Une automobile, nom de Dieu ! »

Les deux hommes se ruèrent à la porte.

« Ils sont à mes trousses ! hurla Sutton en attrapant Timmins par les revers de son veston. Est-ce que je l'ai tué, Jim ? Est-ce que je l'ai tué ? Réponds, mon gars. Réponds. Mary, tu veux bien me cacher ? Tu veux bien ?

— Tais-toi, cré de bon sang, dit Timmins. Écoute. Ouais, c'est eux, pas de doute. Bon Dieu ! les voilà qui franchissent la colline.

— Il vaudrait pas mieux qu'il aille se cacher dans le marécage ? hurla Mary.

— File, file ! s'écria Timmins.

— Non, je m'enfuirai pas, clama Sutton. Je vais me battre. Donne-moi une arme. Où est la hachette ? »

Brusquement une frénésie batailleuse s'était emparée de lui. Il fit le tour de la cuisine comme un fou, cherchant la hachette dans tous les coins. Timmins lui courait derrière, s'efforçant de le maîtriser. Mary se précipita dans la cour en agitant les mains en l'air et en appelant au secours à tue-tête. Une grosse automobile descendit la colline à fond de train, projetant la lumière aveuglante de ses phares. La jeune femme courut à sa rencontre. Le véhicule s'immobilisa brutalement devant la barrière. Des silhouettes sombres en jaillirent aussitôt et sans même s'arrêter bondirent par-dessus la barrière.

« N'entrez pas ! haleta-t-elle. Il a la hachette, il va vous tuer.

— Allez-y, dit un homme de haute taille, encerclez la maison. » Il éclaira le visage de Mary avec une lampe électrique.

« Qui êtes-vous ? demanda-t-il.

— Je suis Mary Timmins. Vous allez pas arrêter mon Jim, hein, monsieur ? C'est Joe qui a frappé. C'est promis, hein ? Pour l'amour de Dieu, monsieur, vous allez pas l'arrêter ?

Sans répondre, l'officier de police passa devant elle

227

comme un boulet. Deux hommes et un sergent couraient devant lui. Mary vit leurs silhouettes noires filer vers la maison, la matraque à la main. Puis elle vit Sutton sortir de l'édifice, avec son mari cramponné à ses basques, hurlant tous les deux. Sutton tenait la hachette. Alors, elle fit volte-face, leva les bras au ciel et s'effondra sur le sol, évanouie.

Quand elle revint à elle, elle était allongée sur le canapé de la cuisine et une voisine lui frottait la main. Elle ouvrit les yeux un instant. Elle vit son mari, au milieu de la pièce, en train de haranguer un groupe de voisins qui l'écoutaient bouche bée. Elle referma les yeux.

« Figurez-vous que c'est Cassidy qui a envoyé chercher la garde civile, expliquait son mari. Il a une vieille rancœur contre Joe. On était simplement en train de chanter une chanson au bar et tout le monde s'amusait bien. Et puis voilà un gars de la garde civile qui déboule et qui ordonne à Joe de vider les lieux. Alors il a juste levé sa bouteille et le garde est tombé comme une masse. En plein sur le crâne. Bon, maintenant je m'en vais trouver sa mère et prendre les dispositions pour la caution, si caution il y a. »

Mary se mit à prier et tout en priant elle sentait les montagnes qui la cernaient de toutes parts, avec des ombres noires sur leurs flancs bombés.

Dehors, le jour naissait et une multitude d'oiseaux gazouillaient au loin.

Un bidon en fer blanc

Dans notre village, il y avait un vieux charpentier du nom de Jimmy qui vivait tout seul dans une abominable vieille cabane de deux pièces, au milieu d'un grand rocher rugueux et plat, à l'écart des autres habitations. C'était un homme bon et doux, mais porté sur la boisson, et pendant ses beuveries son esprit chavirait. Les beuveries en question duraient aussi longtemps qu'il avait de l'argent, parfois plusieurs semaines de suite; une fois dégrisé, pendant une huitaine de jours, Jimmy vaquait à ses occupations en silence, fuyant tout le monde, bondissant par-dessus les clôtures dès qu'il voyait quelqu'un approcher, sa barbe roussâtre toute hérissée de copeaux blancs, son visage pâle bouffi, son ample pantalon de ratine grise, agrémenté d'une immense pièce noire sur le postérieur, serré autour de sa taille comme un sac.

Quand j'étais tout petit, je m'enfuyais de terreur chaque fois que je le voyais arriver, mais plus tard, je le pris en affection. Je me rappelle lui avoir un jour apporté un bidon en fer blanc à réparer. Le récipient fuyait par le fond et ma mère m'envoya le porter à Jimmy afin qu'il y fixât un fond en bois. On venait de voir Jimmy, revenant de la ville, franchir les rochers pour regagner sa cabane, et la grande Brigid qui l'avait aperçu déclara qu'il avait l'air ivre.

« Veille bien à ne pas entrer chez lui, me dit ma mère. Remets-lui simplement le bidon à la porte et attends. Dis-lui de faire vite. J'en aurai besoin pour le lait dans la soirée. »

J'arrivai sur le petit carré d'herbe verdoyante devant la porte de Jimmy. Celle-ci était grande ouverte et j'entendais le vieux bonhomme fourgonner à l'intérieur, grognant et maugréant. Un chien gémissait. La cuisine n'avait pas de fenêtre et il faisait une journée brumeuse, si bien qu'il était fort difficile de voir quoi que ce fût en regardant au-dedans. Je toussai, mais Jimmy ne m'entendit pas. Je pris alors mon courage à deux mains, m'avançai jusqu'à la porte et passai la tête par l'encadrement.

« Ma mère m'a envoyé t'apporter ceci, dis-je. Faudrait un fond neuf. » Jimmy, penché devant l'âtre, mettait une petite marmite de pommes de terre sur le feu. Du thé infusait dans une casserole au milieu des cendres. Il me regarda d'un air courroucé, fit claquer ses dents dans sa barbe, comme un chien qui essaie d'attraper une mouche, jura et s'approcha de moi.

« Donne ça, grommela-t-il.

— Elle en a besoin pour le lait, dis-je.

— Le diable emporte le lait ! » lança-t-il.

Je commençai à avoir peur et me plaquai contre la porte, les mains derrière le dos. La minuscule marmite, suspendue au-dessus du feu par un gigantesque crochet, se mit à cracher de la vapeur. Jimmy posa brutalement mon bidon sur sa longue table en bois blanc couverte de copeaux, où s'entassaient des outils de menuisier, des morceaux de planche, un fusil qui se chargeait par le canon, un ciré, la statue d'un saint Joseph manchot et un réveille-matin dont le ressort jaillissait par derrière entortillé sur lui-même. Un cabot roux entra dans la pièce en flairant le sol, frissonnant à chaque bruit. Jimmy, le juron aux lèvres, se mit à scier le fond de la boîte.

Le chien n'avait de cesse de s'approcher sournoisement du feu. Brusquement, il se rua sur la marmite et voulut en sortir une pomme de terre. En sentant l'eau bouillante, il poussa un jappement aigu et fonça vers la porte. Jimmy hurla lui aussi, empoigna le réveil et le lança à toute volée par la porte en direction du chien. L'objet atteignit l'animal au flanc, avec un tintement et un bruit de crécelle. Le chien couina. Je me jetai par terre en portant mon poing à ma bouche. « Que le diable emporte tout ça! » maugréa Jimmy en reprenant mon bidon.

Pendant qu'il continuait à scier le fond, le chien reparut. Jimmy le vit entrer et lâcha ses outils. Le chien, que la faim rendait fou, ne lui prêta aucune attention. Il trottina plein de culot jusqu'à l'âtre, plongea sur la marmite et y enfonça le museau jusqu'aux oreilles. L'eau l'ébouillanta affreusement. Il recula en sursaut avec un hurlement, entraînant la marmite, si bien que les pommes de terre se répandirent dans les cendres. Tandis qu'il tournoyait dans l'âtre en couinant de douleur, il renversa la casserole de thé. Une épaisse vapeur s'éleva, ainsi qu'une atroce puanteur de cendres mouillées, de pommes de terre bouillies et de vieux thé trop fort. Puis le chien fila par la porte et se mit à se rouler interminablement dans l'herbe.

Pendant cinq bonnes minutes, Jimmy se contenta de

contempler son repas fichu, la bouche grande ouverte. Puis, en silence, il prit le vieux fusil rouillé, visa délibérément l'animal et tira. Le projectile passa par-dessus mon corps prostré avec un rugissement assourdissant. Mais au lieu de frapper le chien, la charge s'enfonça au-dessus de la porte, faisant dégringoler une pluie de mortier.

« Cré de bon sang de bonsoir! hurla Jimmy, je l'ai manqué. » Et il se mit à marteler mon bidon avec le canon de son arme. « Je l'ai manqué », répéta-t-il en aplatissant le malheureux objet de façon à obtenir une mince plaque de fer blanc fine comme du papier à cigarette qu'il me lança à la figure en criant :

« Allez, disparais, tu verras bien si tu peux y mettre ton lait, espèce de… »

Table

CET OUVRAGE A ÉTÉ ACHEVÉ D'IMPRIMER
SUR ROTO-PAGE
PAR L'IMPRIMERIE FLOCH À MAYENNE
EN MARS 2000